D1061613

The Secret™
السر

the Secret

السر

Rhonda Byrne

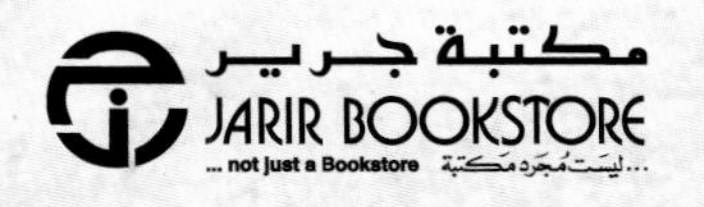

للتعرّف على فروعنا فى
المملكة العربية السعودية ، قطر ، الكويت والإمارات العربية المتحدة
نرجو زيارة موقعنا على الإنترنت **www.jarirbookstore.com**
للمزيد من المعلومات الرجاء مراسلتنا على :
jbpublications@jarirbookstore.com

إخلاء مسؤولية

هذه ترجمة عربية لطبعة اللغة الإنجليزية من الكتاب. وعلى الرغم من أننا بذلنا قصارى جهدنا فى نشر وترجمة الطبعة العربية، فإننا لا نتحمّل أىّ مسؤولية أو نقدّم أى ضمان فى ما يتعلق بصحة أو اكتمال المادة التى يضمها الكتاب، لذا فإننا لا نتحمل، تحت أى ظرف من الظروف، مسؤولية أى خسائر أو تعويضات سواء كانت مباشرة، أو غير مباشرة، أو عرضيّة، أو خاصة، أو مترتبة ، أو أخرى. كما أننا نخلى مسؤوليتنا بصفة خاصة عن أى ضمانات حول ملاءمة الكتاب عموماً أو ملاءمته لغرض معيّن.

إعادة طبع الطبعة الخامسة ٢٠١٦

«إن الغرض من المعلومات الواردة بهذا الكتاب هو غرض تعليمي وليس بغرض تشخيص أي علّة صحيّة كانت، أو وضع وصفة طبيّة أو علاج لها. ولا يجب أن تحل تلك المعلومات محل استشارة متخصص كفوء في الرعاية الطبيّة. فالغرض من محتوى هذا الكتاب أن يكون أداة مساعدة لأي برنامة رعاية صحيّة مناسب يصفه أي ممارس متخصص في الرعاية الطبية. ولا يتحمل المؤلف والناشر أيّة مسؤولية بأي حال من الأحوال نتيجة سوء استخدام المادة الواردة في هذا الكتاب».

المملكة العربية السعودية ص. ب: ٣١٩٦ الرياض ١١٤٧١ – تليفون: ٤٦٢٦٠٠٠ ١١ ٩٦٦+ – فاكس: ٤٦٥٦٣٦٣ ١١ ٩٦٦+

ليكن المظهر كالجوهر .

وليكن الظاهر كالباطن .

– اللوح الزمردى ، حوالى عام ٣٠٠٠ ق . م .

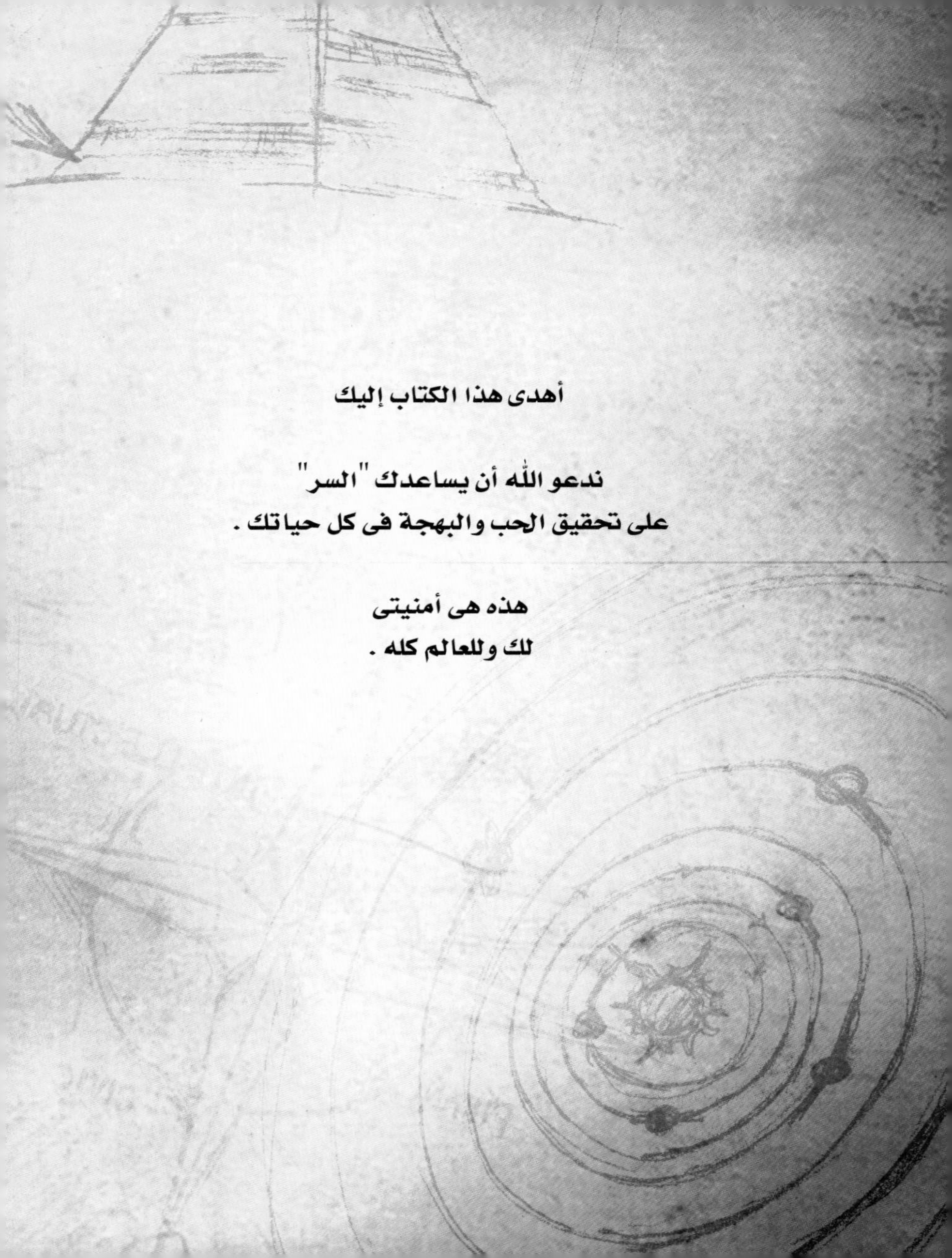

أهدى هذا الكتاب إليك

ندعو الله أن يساعدك "السر"
على تحقيق الحب والبهجة فى كل حياتك .

هذه هى أمنيتى
لك وللعالم كله .

المحتويات

المقدمة

منذ عام تحطمت حياتى من حولى ؛ فقد رحت أعمل إلى حد الإنهاك ، وتوفى أبى فجأة ، واضطربت علاقاتى بزملاء العمل والأعزاء علىَّ . فى ذلك الحين لم أكن أعرف أن أعظم هبة سأحصل عليها كانت ستولد من رحم أكبر محنة فى حياتى .

وبدت لى لمحة من " سر عظيم " - سر الحياة . أتت تلك اللمحة من كتاب عمره مائة عام ، أعطتنى إياه ابنتى " هايلى " . ورحت أتتبع مسار " السر " عبر التاريخ . لم أكد أصدق أن كل هؤلاء الأشخاص كانوا مطلعين عليه . كانوا عظماء التاريخ : " أفلاطون " ، " شكسبير " ، " نيوتن " ، " هوجو " ، " بيتهوفن " ، " لينكولن " ، " إيمرسون " ، " إديسون " ، " أينشتاين " .

وتساءلت مندهشاً : "لماذا لا يعلم جميع الناس بهذا ؟ " وانتابتنى رغبة ملحة فى أن أشارك العالم كله " السر " ، وشرعت أبحث عن أشخاص أحياء فى يومنا هذا ، ممن يعلمون " السر " .

وأخذوا يبزغون واحدًا تلو الآخر ، وتحولت إلى مغناطيس : فما إن بدأت أبحث حتى راح معلم بعد آخر من المعلمين الأحياء العظماء ينجذبون نحو طريقى .

حينما كنت أكتشف أحد المعلمين ، كان يدلنى على معلم آخر فى سلسلة متصلة ، وحين كنت أحيد عن المسار الصحيح ، كان يظهر شىء آخر يستحوذ على انتباهى ،

ومن خلال هذا التشعب عرفت المزيد من المعلمين العظماء ، وإذا حدث " بالمصادفة " أننى ضغطت الوصلة الخطأ فى عملية البحث على شبكة المعلومات الدولية ، أجدها قادتنى إلى معلومة شديدة الأهمية . وفى غضون أسابيع قليلة كنت قد تتبعت مسار " السر " عبر القرون الماضية ، واكتشفت من يمارسونه كذلك فى عالمنا المعاصر.

سيطرت على عقلى فكرة أن أنقل " السر " للعالم فى فيلم ، وعلى مدى الشهرين التاليين كان فريق إنتاج الأفلام والأعمال التليفزيونية الخاص بى قد تعلم " السر " . كان أمراً حتمياً أن يعلم به كل عضو من الفريق ؛ لأنه بدون اطلاعه هذا ستكون محاولتنا مستحيلة.

لم يؤكد أى معلم ممن اخترناهم أنه سيظهر معنا فى الفيلم ، ولكننا كنا نعلم " السر " ، وهكذا وبإيمان تام سافرت من أستراليا إلى الولايات المتحدة حيث توجد الغالبية العظمى من المعلمين . بعدها بسبعة أسابيع كان فريق " السر " قد سجل مع خمسة وخمسين من أعظم المعلمين على نطاق الولايات المتحدة ، مما تجاوز ١٢٠ ساعة من المادة الفيلمية . ومع كل خطوة ، ومع كل نفس ، استخدمنا " السر " لكى نصنع فيلم " السر " ، وقد جذبنا إلينا كل شىء وكل شخص . بعدها بثمانية شهور انطلق " السر " للعرض على شاشات السينما .

وبينما كان " السر " يكتسح العالم ، بدأت قصص المعجزات تتدفق إلينا :كتب أشخاص عن شفائهم من ألم مزمن : من الاكتئاب ، أوالأمراض العضوية ، أو مشوا على أقدامهم لأول مرة بعد حادثة ، بل ومنهم من تعافوا ناهضين من فراش الموت . تلقينا آلاف القصص حول استخدام " السر " فى جلب مبالغ ضخمة من المال والشيكات غير المنتظرة بالبريد .لقد استخدم الناس "السر" للحصول على منازلهم المثالية ، وشركاء حياتهم ، وسياراتهم، ووظائفهم ، وترقياتهم ، مع التحول الذى جرى للعديد من المشروعات التجارية بعد أيام من تطبيق " السر "

، وكانت هناك حكايات تبعث الطمأنينة في القلوب عن علاقات أسرية كانت على وشك الإنهيار وحرمان الأطفال من آبائهم ، ولكنها استعادت انسجامها وتوازنها بعد اطلاع أطرافها على " السر ".

بعض من أكثر القصص التى تلقيتها عمقاً أتت من أطفال يستخدمون "السر" ليجذبوا إليهم ما ينشدون ، بما فى ذلك التقديرات المدرسية العالية والأصدقاء . ألهم "السر" بعض الأطباء ليتشاركوا المعرفة مع مرضاهم ، وحذت الحذو نفسه جامعات ومدارس مع طلابهم ، ونوادٍ صحية مع عملائها، ودور العبادة والمراكز الروحية مع المترددين عليها . وعقدت حفلات خاصة بـ " السر " فى منازل بأنحاء العالم ، كما أن الأشخاص تشاركوا معرفتهم بـ " السر " مع من يحبونهم ومع أفراد أسرهم . وتم استخدام السر لجذب جميع الأشياء من كل لون - بدءًا من الريشة ووصولاً إلى عشرة ملايين من الدولارات .جرى هذا كله فى غضون شهور قليلة من عرض الفيلم .

ومقصدى من وراء صنع " السر " كان ـ وما زال ـ أن أمنح البهجة لبلايين الأشخاص حول العالم . ويع ايش فريق " السر " تحقق ذلك المقصد على أرض الواقع يوميًا ؛ لأننا نتلقى آلافاً مؤلفة من الرسائل من أشخاص من جميع أنحاء العالم ، ومن جميع الأعمار ، وجميع الأعراق ، وجميع الجنسيات ، معربين عن امتنانهم للبهجة التى منحهم إياها " السر " . لا يوجد أى شىء لا يمكنك القيام به بصرف النظر عمن تكون أو أين أنت ، فبوسع " السر " أن يمنحك ما تشاء أيًا كان .

لقد شارك أربعة وعشرون معلماً مدهشاً فى هذا الكتاب . وقد تم تسجيل كلماتهم فيلميًا فى كل أنحاء الولايات المتحدة ، فى أوقات مختلفة ، ومع ذلك فإنهم يتحدثون كصوت واحد . يحتوى هذا الكتاب على كلمات معلمى السر ، كما أنه يحتوى على قصص خارقة " للسر " فى حيز التطبيق . لقد طرحت جميع المسارات والإشارات السهلة والطرق المختصرة التى تعلمتها بحيث أساعدك على أن تعيش

الحياة التى تحلم بها .

ستلاحظ عبر الكتاب أننى أركز على كلمة " أنت " ، وسبب هذا أننى أردت منك ، أيها القارئ ، أن تشعر أننى وضعت هذا الكتاب من أجلك . وأن تعلم أننى أتحدث إليك شخصياً عندما أقول " أنت " . ومقصدى هو أن تشعر بالحميمية مع تلك الصفحات ؛ لأن " السر " قد أعد من أجلك أنت .

عندما تبحر عبر صفحاته وتتعلم " السر " ، ستعرف كيف يمكنك أن تحظى بأى شىء تريد وأن تقوم بأى شىء تريد . ستعرف من أنت حقاً . ستعرف الروعة الحقيقية التى بانتظارك .

شكر وتقدير

أود بأعمق شعور الامتنان أن أشكر كل شخص قابلته فى حياتى ومنحنى الإلهام والتواصل الإنسانى والإستنارة عبر وجوده .

كما أود أن أنوه وأعرب عن امتنانى للأشخاص التالين من أجل دعمهم الهائل وإسهامهم فى رحلتى وفى رحلة صنع هذا الكتاب :

أدين بالشكر وأشيد بالمؤلفين والمعلمين الذين ساعدونى فى فيلم " السر " بإسهامهم الحكيم ومشاعرهم الدافئة والنبيلة وهم : " جون أساراف " ، " مايكل بيرنارد بيكويث" ، " لى براور " ، " جاك كانفيلد " ، د. " جون ديمارتينى " ، " مارى دياموند"، "مايك دولى" ، "بوب دويل" ، "هيل دوسكين" ، "موريس جودمان"، " د.جون جراى " ، د. " جون هاجلين " ، " بيل هاريس " ، د. " بين جونسون" "لورال لانجمير" ، " ليزا نيكولس " ، " بوب بروكتور " ، " جيمس راى " ، " ديفيد شيرمر " ، " مارسى شيموف " ، " د.جو فيتال " ، " د.دينيس ويتلى " ، " نيل دونالد وولش " ، " د.فريد آلان وولف " .

كما أود أن أشكر مجموعة الأشخاص المبدعين الذين كونوا فريق إنتاج فيلم " السر " : " بول هارنجتون " ، " جليندا بيل " ، " سكاى بايرن " ،

و " نيك جورج " وأيضاً " درو هاريوت " ، " دانييل كير " ، " داميان كوربوى " ، ولجميع هؤلاء الذين اصطحبونا فى رحلة إعداد فيلم السر .

وأشكر فريق شركة " جوزر ميديا " ، لإعدادهم رسوم الجرافيك الرائعة ولإضفاء روح " السر " عليها : " جيمس أرمسترونج " ، و " شاموس هوارى " ، و " آندى لويس ".

كما أشكر المدير التنفيذى لـ " السر " ، " بوب رانون " ، الذى أرسلته العناية الإلهية إلينا .

وكذلك " مايكل جاردنر "والفريق القانونى والاستشارى عبر استراليا والولايات المتحدة.
وفريق عمل موقع " السر " على شبكة الإنترنت : " دان هولنجز " ، " جون هيرين "، وجميع أفراد فريق مؤسسة " Powerful Intentions " الذين نجحوا فى إدارة منتدى " السر " ، جنباً إلى جنب الأشخاص الرائعين الذين حضروا المنتدى .

وكل المعلمين المتمكنين والعظماء من الماضى ، التى أضرمت كتاباتهم نارا متوهجة من الرغبة بداخلى . لقد سرت فى ظلال عظمتهم ، وأمجد كل واحد منهم .
وشكرى الخاص لكل من "روبرت كولير" ودار نشر "كولير ببليكاشنز" ، "والاس واتلس " ، " تشارلز هانيل " ، " جوزيف كامبل " ومؤسسة " جوزيف كامبل " ، "برنتس مالفورد" ، " جنفيف بهرند " ، " وتشارلز فيلمور " .

وكذلك " ريتشارد كوين " و " سنثيا بلاك " من مؤسسة أتريا بوكس بيوند وورد ، و " جوديت كير " من شركة " سايمون آند شوستر " ، لفتح قلوبهم واحتضانهم " للسر " . وشكر خاص للمحررين : " هنرى كوفى " و " جولى ستجروالدت " .

وشكر خاص لهؤلاء من أجل كرمهم فى مشاركة قصصهم معنا : " كاتى جودمان"، " سوزان سلويت " ، " كولن هالم " ، " سوزان موريس " ، ومديرة شركة " بيليز ناتشورال إنرجى"؛" جينى ماكواى " ، و " جو شوجرمان " .

ومن أجل تعاليمهم الملهمة أشكر كل من : " د.روبرت آنتونى " ، " جيرى وايستر هيكس " وتعاليم " إبراهام " ، " دافيد كاميرون جيكاندى " ، " وجون هاريشاران"، " كاثرين بوندر " ، " جاى وكاتى هنريكس " ، " ستيفن آر كوفى " ، " وديبى فورد " . ومن أجل مساندتهم الكريمة : " كريس وجانيت آتوود " ، " ماريكا مارتن " ، وأعضاء مركز Transformational Leaders Council ، ومركز السينما الروحية Spiritual Cinema ، وفريق مركز أجابى الروحى Agape Spiritual Center . ومساعدى جميع المعلمين فى "السر " .

وكثير من الشكر لأصدقائى الغالين على حبهم ودعمهم : " مارسى كولنتكريللى " ، "مارجريت راينون" ، "أثينا جوليانز" ، "جون ووكر" ، "إلين بيت " ، " وأندريا كير " ، " ومايكل وكندرا أباي " . وأسرتى المدهشة : " بيتر بايرن " ، وأخواتى الغاليات : " جان تشايلد " من أجل مساعدتها التى لا تقدر بثمن فى هذا الكتاب ، "وبولين فيرنون " ، " وكاى أيزون " (المتوفاة) " و"جيندا بيل " ، التى كانت دائما إلى جانبى والتى لا يعرف حبها ودعمها أى حدود . وأمى الشجاعة الجميلة " إيرين أيزون " ، ولذكرى والدى " رونالد أيزون " ، الذى يستمر نوره وحبه فى الإشعاع عبر حياتنا .

وأخيراً لبناتى : " هايلى " و " سكاى بايرن " . وأخص بالشكر "هايلى" التى كانت مسئولة عن بداية حياتى ورحلتى الحقيقية ، وكذلك " سكاى " ، التى تابعت خطواتى فى صنع هذا الكتاب ،والتى حررت ونقحت كلماتى . إن بناتى هن الجواهر الثمينة لحياتى ويضئن كل نفس من أنفاسى بوجودهن .

السر ينكشف

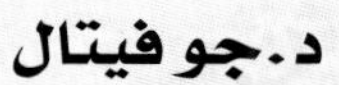

بوب بروكتور

فيلسوف ، مؤلف ، ومدرب شخصى

يمنحك " السر " أى شىء تريده :السعادة ، والصحة والثروة .

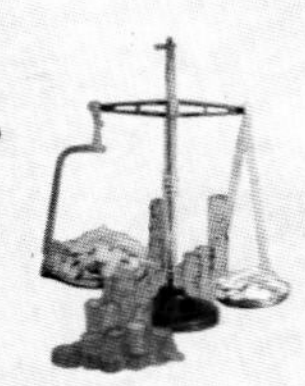

د.جو فيتال

متخصص فى علم ما وراء الطبيعة ، ومتخصص فى التسويق ، ومؤلف

يمكنك أن تمتلك ، وتفعل ، وتكون أى شىء تريده .

جون أساراف

رجل أعمال وخبير استثمار

يمكننا أن نحظى بما نختار مهما كان . ولا يهمنى مدى ضخامته .

ما نوع المنزل الذى تريد أن تعيش فيه ؟ هل تريد أن تكون مليونيراً ؟ ما نوع العمل الذى تريد أن تمارسه؟ هل تريد المزيد من النجاح ؟ ما الذى تريده حقًّا ؟

د. جون ديمارتينى

فيلسوف ، ومعالج للأمراض بتقويم العمود الفقرى يدوياً، ومتخصص فى التطور الشخصى

هذا هو "سر "الحياة الأعظم .

د.دينيس ويتلى

عالم نفس ومدرب فى مجال الإمكانيات العقلية

فيما مضى ، أراد القادة والزعماء الذين كانوا مطلعين على "السر "الاحتفاظ بالقوة وعدم مقاسمتها مع الآخرين ، وحرصوا على إخفاء " السر " عن الناس. كان الناس يذهبون للعمل ، يؤدون وظائفهم ، ثم يعودون للمنزل. كانوا يدورون فى دوائر مفرغة دون طاقة ، لأن " السر " كان قاصراً على قلة قليلة .

عبر التاريخ كان هناك الكثيرون ممن تاقوا إلى معرفة " السر " وسعوا إليه . وكان هناك الكثيرون ممن وجدوا سبيلاً إلى نشر هذه المعرفة فى العالم .

مايكل بيرنارد بيكويث

عالم روحانى ومؤسس مركز "أجابى" العالمى الروحانى

لقد شاهدت الكثير من المعجزات تحدث فى حياة الناس ، معجزات مالية ، معجزات الشفاء البدنى ،

والشفاء العقلى ، ومعالجة العلاقات الإنسانية .

جاك كانفيلد

مؤلف ، معلم ، مدرب فى الشئون الحياتية ،
ومتحدث تحفيزى

كل هذا حدث بسبب معرفة كيفية تطبيق "السر"

ما هو السر؟

بوب بروكتور

لعلك على الأرجح تجلس هناك متسائلاً : "ما هو السر ؟ "وسوف أخبرك كيف توصلت إلى فهمه .

إننا جميعاً نعمل بطاقة لا نهائية واحدة ، ونقود أنفسنا وفقاً للقوانين نفسها. إن القوانين الطبيعية للكون على قدر كبير من الدقة بالدرجة التى تجعلنا لا نجد أية مشقة فى بناء سفن فضاء ، وتمكننا من إرسال البشر إلى القمر ، وضبط توقيت الهبوط بدقة الكسر من الثانية .

حيثما كنت ـ بالهند ، أستراليا ، نيوزيلندا ، ستوكهولم ، لندن ، تورنتو ، مونتريال ، أو نيو يورك ـ يجب أن تعلم أننا جميعاً نعمل وفقاً لطاقة واحدة ، وقانون واحد ، وهو قانون الجذب !

" السر " هو قانون الجذب !

كل شىء يحدث فى حياتك فأنت من قمت بجذبه إلى حياتك ، وقد انجذب إليك عن طريق الصور التى احتفظت بها فى عقلك ، أى ما تفكر فيه . فأياً كان الشىء الذى يدور بعقلك فإنك تجذبه إليك .

"كل فكرة من أفكارك هى شىء حقيقى - إنها قوة ".

برنتيس مالفورد (١٨٣٤-١٨٩١)

إن أعظم المعلمين الذين عاشوا فى التاريخ أخبرونا بأن قانون الجذب هو الأكثر قوة وفاعلية .

فالشعراء من أمثال " وليام شكسبير " ، و" روبرت براونينج " ، و" وليام بليك " ، قد جسدوه لنا من خلال شعرهم . والموسيقيون من أمثال " لودفيج فان بيتهوفن " عبروا عنه فى موسيقاهم . والرسامون من أمثال " ليوناردو دافنشى " قد صوروه فى رسومهم . والمفكرون العظام بمن فيهم " سقراط " ، " أفلاطون " ، " رالف والدو إيمرسون " ، و" فيثاغورث " ، و " السير فرانسيس بيكون " ، و" السير إسحاق نيوتن " ، و" يوهان فولجانج فون جوته " ، و" فيكتور هوجو " تقاسموه معنا فى كتاباتهم وتعاليمهم . وقد خلدت أسماؤهم ، وعاشت ذكراهم عبر القرون .

إن العقائد والأديان والحضارات المختلفة مثل الحضارة البابلية والمصرية القديمة كلها قد جسدت لنا قانون الجذب فى كتاباتها وقصصها . وقد تم تسجيل القانون عبر الأجيال بكافة أشكاله ؛ حيث يمكن أن نجده فى الكتابات القديمة عبر جميع القرون . وقد تم تسجيل القانون على الحجارة فى سنة ٣٠٠٠ ق.م. وبالرغم من هذا كله فالبعض تاق إلى هذه المعرفة وسعى إليها ، ووصل إليها بالفعل ، وكانت

دائماً متاحة لأى شخص يمكنه اكتشافها .

لقد بدأ القانون مع بدء الزمان .لقد كان موجوداً ، وسوف يظل موجوداً .

إنه القانون الذى يحدد النظام الكامل فى الكون ،كما يحدد كل لحظة من حياتك ، وكل شىء تشعر به أو تعايشه فى حياتك ، وبصرف النظر عمن تكون ؛ أو أين تكون ، فقانون الجذب يشكل تجربة حياتك برمتها ، وهذا القانون له قوة وفاعلية ، ويؤدى ذلك من خلال أفكارك ؛ فأنت من تملك دفع قانون الجذب للعمل ؛ وذلك يتم من خلال أفكارك .

فى عام ١٩١٢ وصف لـ " تشارلز هانيل " قانون الجذب على أنه " القانون الأعظم الذى لا يخطئ ويعتمد عليه نظام الأشياء " .

بوب بروكتور

دائماً ما عرف الحكماء ذلك ، وتستطيع أن تدرك ذلك بالنظر إلى البابليين القدماء ؛ فقد كانوا يعرفون هذا دائماً ، إنهم مجموعة صغيرة متميزة من البشر .

قام العلماء والمؤرخون بتسجيل ودراسة حضارة البابليين القدماء برخائها العظيم ، كما عُرِفَ البابليون أيضاً بإبداعهم فى صنع واحدة من عجائب الدنيا السبع ؛ وهى حدائق

بابل المعلقة ؛ فمن خلال استيعابهم لقوانين الكون وتطبيقها صاروا أحد أثرى الشعوب فى التاريخ .

بوب بروكتور

لماذا ، فى اعتقادك ، تجنى نسبة ١ % من البشر حوالى ٩٦ % من إجمالى المال الموجود فى العالم ؟ هل تظنها مصادفة ؟ إن الأمر مصمم على ذلك النحو . فهم يفهمون أمراً ما . إنهم يفهمون " السر " ، وأنت الآن سوف تتعرف على السر .

إن الأشخاص الذين جذبوا الثروة إلى حياتهم استخدموا " السر " ، سواء بقصد منهم أم بدون قصد ؛ فهم يفكرون فى الثراء والرخاء ، ولا يسمحون لأية أفكار مناقضة لهذا أن تضرب بجذورها فى عقولهم . إن الأفكار المسيطرة على عقولهم تدور حول الثروة . إنهم لا *يعرفون* أى شىء سوى الثراء ، ولا شىء عداه يوجد فى عقولهم . وسواء كانوا واعين بهذا أم لا ، فإن أفكارهم المهيمنة حول الثروة هى ما تجلب لهم الثروة ، إنه قانون الجذب فى حيز التطبيق .

إليك هذا المثال النموذجى على تجسد " السر " وقانون الجذب . لعلك سمعت عن أشخاص كونوا ثروة ضخمة وفقدوها كلها ، وفى غضون فترة وجيزة كسبوا ثروة ضخمة من جديد. ما حدث مع هؤلاء الأشخاص ، سواء علموا بذلك أم لا ، هو أن أفكارهم المهيمنة تركزت حول الثروة ، وهكذا قد كسبوا فى المرة الأولى ،ثم سمحوا لأفكار الخوف من فقدان الثروة أن تدخل عقولهم ، إلى أن صارت أفكار الخوف من فقدان الثروة تلك هى أفكارهم المهيمنة. لقد رجحوا كفة أفكار فقدان الثروة ، وبذلك فقدوا كل شىء ، ولكنهم عندما فقدوا كل شىء ، اختفى داخلهم الخوف من فقدان

الثروة ، وبذلك هيمنت أفكار الثروة على عقولهم مرة أخرى ، وعادت إليهم الثروة .

يستجيب القانون لأفكارك بصرف النظر عن ماهيتها وطبيعتها .

الشبيه يجذب إليه شبيهه

جون أساراف

إن أبسط طريقة بالنسبة لى لاستيعاب قانون الجذب هى أن أعتبر نفسى مغناطيساً ، وأنا أعلم أن المغناطيس يجذب إليه مغناطيساً .

وأنت أقوى مغناطيس فى الكون ! فبداخلك قوة مغناطيسية أشد بأساً وفاعلية من أى شىء فى هذا العالم ، وهذه القوة المغناطيسية التى لا يسبر غورها تنبعث من أفكارك .

بوب دويل

مؤلف ومتخصص فى قانون الجذب

بصورة أساسية ، ينص قانون الجذب على أن الشبيه يجذب إليه شبيهه ، ولكننا نتحدث عن أحد مستويات التفكير .

ينص قانون الجذب على أن *الشبيه يجذب إليه شبيهه* ، وهكذا حين تفكر فى فكرة ما فإنك

كذلك تجذب الأفكار الشبيهة إليك ، واليك المزيد من الأمثلة حول قانون الجذب التى قد تكون عشتها فى حياتك .

هل سبق لك أن فكرت فى شىء لست راضياً عنه ، وكلما فكرت بشأنه ساء الحال ؟ ذلك لأنك عندما تفكر فى فكرة واحدة بشكل دائم فإن قانون الجذب على الفور يجلب المزيد من الأفكار البغيضة الشبيهة إليك ؛ بحيث يبدو أن الوضع يزداد سوءاً ، وكلما منحت الأمر مزيداً من التفكيرزاد انزعاجك وضيقك.

ولعلك جربت جذب الأفكار الشبيهة حينما استمعت إلى إحدى الأغنيات ، ووجدت أنك لا تستطيع إخراج تلك الأغنية من رأسك ، وتظل الأغنية تطن برأسك مرة تلو الأخرى، فعندما استمعت إلى هذه الأغنية فإنك تكون قد أعطيت انتباهك كاملاً وتركيزك التام لفكرة الأغنية . وعندما فعلت ذلك ، فقد كنت تجذب بقوة وفعالية المزيد من الأفكار الشبيهة حول تلك الأغنية ، وهكذا ينطلق قانون الجذب للعمل ويرسل المزيد من الأفكار حول هذه الأغنية مراراً وتكراراً .

جون أساراف

تتمثل مهمتنا كبشر فى التشبث بالأفكار التى تدور حول ما ننشده ونبتغيه وأن نجعلها فى غاية الوضوح بعقولنا ، ومن هنا نبدأ فى تفعيل أحد أعظم القوانين فى الكون ، ألا وهو قانون الجذب . إنك تصبح ما تفكر فيه أغلب الوقت ، لكنك كذلك تجذب ما تفكر فيه أغلب الوقت .

وما حياتك الآن إلا انعكاس لأفكارك الماضية . يتضمن ذلك كل الأمور الرائعة ، وكل تلك الأشياء التى ترى أنها ليست طيبة . وبما أنك تجذب إليك ما تفكر فيه غالبا ، فمن اليسير أن تعرف ما هى أفكارك المهيمنة حول كل موضوع فى حياتك ، لأن هذا ما هو عايشته . على الأقل الآن ! ولكن بما أنك تتعلم السر ، فبهذه المعرفة، يمكنك أن تغير كل شىء .

بوب بروكتور

إذا رأيت ما تطمح إليه بعين خيالك ، فلسوف تمسك به بين يديك .

إذا استطعت أن تفكر بشأن ما تريده فى عقلك ، وتجعل منه فكرتك المهيمنة ، سوف تحققه كواقع فى حياتك .

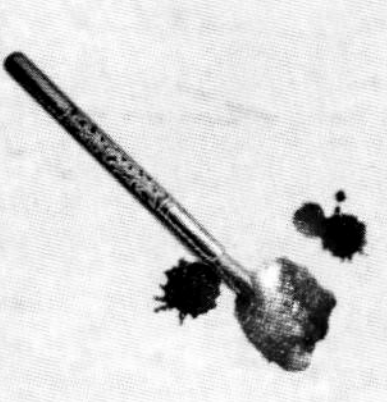

مايك دولى

مؤلف ومحاضر دولى

ويمكن إيجاز ذلك المبدأ فى ثلاث كلمات بسيطة : الأفكار تصبح وقائع !

من خلال هذا القانون الأشد فاعلية ، تتحول أفكارك إلى وقائع ملموسة ! قل هذا لنفسك ودعه يتسرب ويتغلغل فى وعيك وإدراكك. أفكارك تتحول إلى وقائع ملموسة!

جون أساراف

ما لا يستوعبه معظم الناس هو أن لكل فكرة تردداً ، ونحن نستطيع أن نقيس

أى فكرة ، وإذا كنت تفكر بتلك الفكرة المرة تلو الأخرى مراراً وتكراراً ، وإذا كنت تتخيل فى عقلك امتلاكك لتلك السيارة الجديدة الرائعة ، وامتلاكك للمال الذى تحتاج إليه ، وتأسيس تلك الشركة ، والعثور على شريك الحياة . . . إذا كنت تتخيل كيف ستبدو تلك الأشياء فإنك تبث ذلك التردد بوتيرة ثابتة ومستمرة .

د. جو فيتال

تقوم الأفكار بإرسال تلك الإشارة المغناطيسية التى تأتى إليك بمثل ما ترسله .

"الفكرة المهيمنة أو التوجه العقلى هو المغناطيس، والقانون هو أن الشبيه يجذب إليه شبيهه ، وبالتالى فإن التوجه العقلى سوف يجذب حتماً تلك الظروف التى تتوافق مع طبيعته " .

" تشارلز هانيل " (١٨٦٦-١٩٤٩)

للأفكار قوة مغناطيسية ، كما أن لها تردداً ، وعندما تفكر يتم إرسال تلك الأفكار وتجذب إليها مغناطيسياً كل الأشياء الشبيهة على نفس التردد . كل شىء يتم إرساله خارجاً يعود إلى المصدر ، والمصدر هو أنت .

فكر فى الأمر على النحو التالى : إننا نفهم أن برج البث الخاص بالمحطات التليفزيونية يقوم بالبث عبر تردد معين ، وهو ما يتحول إلى صور على جهاز تليفزيونك . الغالبية العظمى منا لا يستوعبون فعليًا كيف يعمل الأمر ، ولكننا نعلم أن كل قناة لها تردد ، وحين نضبط الجهاز على ذلك

التردد نرى الصور على أجهزة التليفزيون . ونختار التردد بانتقاء القناة ، وبعدها نتلقى بث الصور على تلك القناة ، وإذا شئنا أن نرى صوراً مختلفة على جهازنا ، فإننا نغير القناة ونضبط تردداً جديداً .

ما أنت إلا محطة بث *بشرية* ، ولكنك كإنسان أكثر قوة وفاعلية من أى برج تليفزيونى تم صنعه على وجه الأرض . بل إنك أشد أبراج البث فاعلية فى الكون كله ، فإن بثك يشكل حياتك كما يشكل العالم المحيط بك . والتردد الذى تقوم ببثه يتجاوز حدود المدن ، والبلاد ، والعالم نفسه . يستمر فى التذبذب والتردد عبر الكون بأسره ، وأنت تبث ذلك التردد *بأفكارك*!

إن الصور التى تتلقاها من بث أفكارك لا تظهر على شاشة تليفزيون فى غرفة معيشتك ، بل هى صور *حياتك*! إنك تصنع أفكارك بالتردد ، وتجذب من خلال هذا التردد الأشياء *الشبيهة* ، ومن ثم تعود إليك باعتبارها صور حياتك .إذا أردت تغيير أى شىء فى حياتك ، فلتغير القناة ولتغير التردد عن طريق تغييرك لأفكارك .

" إن ذبذبات القوة العقلية هى الأفضل من نوعها على الإطلاق ؛ وبالتالى فهى الأشد قوة " .

" تشارلز هانيل "

بوب بروكتور

تخيل نفسك تعيش فى ثراء وسوف تجذب الثراء . إن هذا الأمر يؤتى ثماره فى كل حين ، ومع كل شخص .

وعندما تفكر فى نفسك بأنك تعيش فى ثراء ، فإنك تحدد ملامح حياتك ، بصورة قوية ومقصودة ، عبر قانون الجذب . الأمر بهذه الدرجة من السهولة . ولكن السؤال الذى يسطع كالشمس هو " لماذا لا يعيش جميع الناس الحياة التى يحلمون بها ؟ " .

فلتجذب الخير بدلاً من الشر

جون أساراف

إليك المشكلة : أغلب الناس يفكرون فيما لا يريدونه ، ويتساءلون لماذا يعترض طريقهم المرة تلو الأخرى !

السبب الوحيد فى عدم حصول الناس على ما يبتغون هو أنهم يفكرون فيما لا يبتغون أكثر مما يفكرون فيما يبتغون . أنصت إلى أفكارك وأنصت للكلمات التى تتفوه بها . القانون مطلق ولا مجال للخطأ فيه .

أسوأ وباء اجتاح البشرية عبر القرون هو وباء " ما لا نريد " . ويحفظ الناس حياة واستمرار هذا الوباء حين يغلب على أفكارهم ، وأقوالهم ، وأفعالهم ، وتركيزهم " ما لا يريدون " . لكن هذا هو الجيل الذى سيغير وجه التاريخ ؛ لأننا نتلقى المعرفة التى من شأنها

أن تخلصنا من هذا الوباء ! الأمر يبدأ بك ، ويمكنك أن تصير رائداً لهذه الحركة الفكرية الجديدة عن طريق التفكير والتحدث بشأن ما تنشده وتبتغيه .

بوب دويل

إن قانون الجذب لا يعبأ بما إذا كنت تعتبر أحد الأشياء جيداً أو سيئاً ، أو ما إذا كنت تريده أو لا تريده . إنه يستجيب لأفكارك . وهكذا فإذا كنت تنظر نحو جبل الديون المتراكمة عليك ، ويساورك شعور رهيب حياله ، فإن تلك هي الإشارة التى ترسلها للعالم . "يراودنى شعور سيئ حقاً بسبب كل هذه الديون المتراكمة علىّ " . إنك لا تفعل شيئاً أكثر من توكيد هذا الأمر لنفسك ، تشعر بالأمر فى كل مستوى من كيانك . وهذا هو ما سوف تنال المزيد منه .

قانون الجذب هو قانون طبيعى . إنه غير موجه لشخص بعينه ، ولا يفرق بين الأمور الجيدة والأمور السيئة. إنه يستقبل أفكارك ويعكسها إليك كخبرات حياة . ببساطة يمنحك قانون الجذب ما تفكر فيه مهما يكن .

ليزا نيكولس

مؤلفة ورائدة فى مجال تطوير الشخصية

يتسم قانون الجذب بأنه طيع حقًّا ، وحين تفكر بشأن الأمور التى تبتغيها ، وتركز عليها بكل انتباهك ، سوف يمنحك قانون الجذب عندئذ ما تبتغيه بالضبط فى كل مرة . أما عندما تركز على الأمور التى

لا تبتغيها - " لا أريد أن أصل متأخراً ، لا أريد أن أصل متأخراً " - فإن قانون الجذب لا يلحظ أنك لا تريد ذلك ، فهو يجسد الأشياء التى تفكر فيها ، وعلى هذا فسوف تظهر أمامك مراراً وتكراراً ؛ فقانون الجذب لا يتحيز لما ترغب فيه أو ما لا ترغب فيه . حين تركز على شىء ما وبصرف النظر عما يحدث لك ، فإنك حقاً تستدعيه إلى الوجود .

حين تركز أفكارك على شىء تريده ، وتحتفظ بذلك التركيز ، فإنك فى تلك اللحظة تستدعى ما تريده بالقوة الأعظم فى الكون . إن قانون الجذب لا يعمل مع كلمات النفى " لا " ، أو " لم " ، أو " ليس " ، أو أى أداة أخرى من أدوات النفى ، وحين تنطق بالكلمات النافية ، فهذا ما يستقبله قانون الجذب :

" لا أرغب فى سكب أى شىء على هذا الزى " ،

"أرغب فى سكب أى شىء على هذا الزى وأريد أن أسكب المزيد والمزيد من الأشياء " .

" لا أريد تسريحة شعر قبيحة " .

"أريد تسريحة شعر قبيحة " .

" لا أريد أن أتأخر " .

"أريد أن أتأخر " .

" لا أريد أن يكون هذا الشخص وقحاً معى " .

"أريد أن يكون ذلك الشخص وأشخاص آخرون وقحين معى " .

" لا أرغب فى أن يلغى المطعم حجزنا " .

"أرغب أن يلغى المطعم حجزنا " .

" لا أريد أن يؤلمنى هذا الحذاء " .

" أريد أن يؤلمنى هذا الحذاء " .

" لا أستطيع التعامل مع كل هذا العمل " .

" أريد قدراً من العمل أكبر مما يمكننى التعامل معه " .

" لا أريد أن أصاب بالأنفلونزا " .

" أريد أن أصاب بالأنفلونزا وغيرها من الأمراض " .

" لا أريد الدخول فى مشاحنة " .

" أريد المزيد من المشاحنات " .

" لا تتحدث إلىَّ بهذه الطريقة " .

" أريد منك أن تتحدث إلىَّ بهذه الطريقة وأريد من الأشخاص الآخرين أن يتحدثوا إلىَّ بهذه الطريقة " .

لا يمنحك قانون الجذب إلا ما تفكر بشأنه - هذا أمر أكيد !

بوب بروكتور

إن قانون الجذب فى حالة عمل دائماً وأبداً ، سواء صدقت هذا أم لا ، أو فهمته أم لا .

إن قانون الجذب هو قانون العمل . إنك تشكل حياتك من خلال أفكارك وقانون الجذب، وكل شخص آخر يقوم بالشىء نفسه . فهو لا يعمل فقط عندما تعرفه ، فقد كان يعمل على الدوام فى حياتك وحياة كل شخص آخر على مدى التاريخ . وعندما تصير *واعياً* بهذا القانون العظيم ، تصير عندئذ *واعياً* بمدى قوتك التى لا تصدق ، وتكون قادراً على أن تفكر فى حياتك التى ترغب فى صنعها وتعيشها واقعاً وحقيقة .

ليزا نيكولس

القانون يعمل بمقدار ما تفكر . فى أى وقت تتدفق فيه أفكارك ، يكون قانون الجذب فى حالة عمل . عندما تفكر فى الماضى ، يعمل قانون الجذب . عندما تفكر فى الحاضر أو المستقبل ، يعمل قانون الجاذبية . إنها عملية دائمة ومستمرة لا يمكنك أن تضغط زراً لإيقافها أو إلغائها . إنها فى حالة عمل أبدية ، وتدوم ما دامت الأفكار .

وسواء أدركنا هذا أم لا ، فإننا نفكر معظم الوقت . إذا ما كنت تتحدث أو تنصت إلى حديث أحدهم ، فإنك تفكر . إذا كنت تقرأ الجريدة أو تشاهد التليفزيون فانك تفكر ، عندما تستعيد ذكريات من الماضى فإنك تفكر . عندما تتأمل المستقبل فإنك تفكر . عندما تقود السيارة فإنك تفكر ، عندما تتأهب للخروج فى الصباح فإنك تفكر ، وبالنسبة للكثيرين منا ، الوقت الوحيد الذى لا نفكر خلاله هو عند النوم ، ومع ذلك ، فإن قوة الجذب تظل فى حالة عمل على آخر أفكار مرت بنا قبل أن نستغرق فى النوم . لتكن آخر أفكارك قبل النوم أفكاراً طيبة .

مايكل بير نارد بيكويث

عمليه التفكير فى حالة حدوث دائم . ففى كل لحظة تراود شخصاً ما فكرة ، أو تتمخض فكرة عن شىء ما . سوف يتبدى شىء ما عن تلك الأفكار .

وما تفكر به الآن هو ما يشكل حياتك المستقبلية . إنك تصوغ حياتك بأفكارك ؛ ولأنك على

الدوام تفكر ، فإنك على الدوام تشكل وتصنع ، وما تفكر فيه غالباً أو تركز عليه غالباً ، هو ما سوف يكون حياتك .

ومثل جميع قوانين الطبيعة ، فثمة كمال تام فى هذا القانون . إنك تشكل حياتك وكما تبذر تحصد ! إن أفكارك هى البذور ، والثمار التى تجنيها ستأتى تبعاً لتلك البذور التى تزرعها .

فإذا كنت شكاء ، فسوف يجلب قانون الجذب إلى حياتك المزيد من المواقف التى تجعلك تشكو . وإذا كنت تستمع إلى شكوى الآخرين وتركز على ذلك وتبدى التعاطف والاتفاق معهم ، ففى تلك اللحظة أنت تجذب إليك المزيد من المواقف التى تجعلك تشكو .

فبكل بساطة يعكس لك القانون ويرد عليك ما تركز عليه أفكارك تماماً .

بهذه المعرفة القوية ، يمكنك أن تغير كل الظروف والأحداث فى حياتك بكاملها ، من خلال تغيير طريقتك فى التفكير.

بيل هاريس

معلم ومؤسس معهد بحث سنتر بوينت

كان لدىَّ طالب اسمه " روبرت " ، كان يتلقى دورة دراسية أعطيها على شبكة المعلومات ، وهذا بعض مما أرسله لى بالبريد الإلكترونى .

كان " روبرت " ضعيف الجسد و كان وجهه وأداؤه أقرب لوجه وأداء النساء . و كان يركز على كل الحقائق البائسة فى حياته خلال رسائله إلى . فى عمله كان زملاؤه يتحزبون ضده ويضطهدونه ، و كان ضغطاً

مستمراً نظراً للطريقة البغيضة التى كانوا يعاملونه بها ، وحين كان يسير فى الشارع كان هدفاً لسخرية وعداء بعض المستأسدين ممن يريدون الإساءة إليه بطريقة ما . أراد أن يكون ممثلاً هزلياً وملقياً للنكات ، وعندما قام بأداء هذا ، قام الكثيرون بمقاطعته والاستخفاف به نظراً لسلوكه الأنثوى . حياته برمتها كانت كتله من البؤس والتعاسة ، وتمحورت كلها لمهاجمته نظراً لاختلافه عن بقيه الرجال .

بدأت أعلم أنه يركز على ما لا يريده ووجهت انتباهه إلى رسائله الإلكترونية التى بعثها لى وقلت : " اقرأها ثانية ، لاحظ كل تلك الأشياء التى لا تريدها والتى أخبرتنى بها . يمكننى أن أرى أنك تفكر كثيراً فى هذه الأشياء ، وعندما تركز على شىء ما بشكل كبير من الشغف ، يجعله هذا يحدث بوتيرة أسرع ! " .

ثم بدأيستوعب هذاويركز على مايريده فى صميم فؤاده ، وبدأيحاول ذلك بإخلاص . وما حدث فى غضون الأسابيع الستة أو الثمانية التالية هو معجزة مطلقة ؛ فجميع زملائه بالمكتب الذين كانوا يضايقونه إما نقلوا إلى قسم آخر ، أو تركوا العمل بالشركة ، أو بدأوا يتركونه فى حاله تماماً . وبدأيحب عمله ، وعندما كان يسير فى الشارع لم يكن أحد يسخر منه أو يضايقه . ببساطة لم يكن يشعر بوجود أحد ، وعندما قام بأداء عرضه الهزلى بدأ يتلقى الاستحسان والتصفيق ، ولم يقاطعه أحد أو يتهكم عليه !

تغيرت حياته بكاملها ؛ لأنه تحول من التركيز على ما لا يبتغيه ، وما يخشاه وما يود تجنبه ، إلى التركيز على ما يبتغى وينشد .

تغيرت حياة " روبرت " لأنه غير أفكاره . لقد أرسل تردداً مختلفاً . *ولابد* أن يرسل الكون صوراً للتردد الجديد ، مهما كان هذا الموقف مستحيلاً . صارت أفكار " روبرت " الجديدة هى تردده الجديد ، وبالتالى تغيرت صور حياته بالكامل .

إن حياتك بين يديك . بصرف النظر عن مكانك ، بصرف النظر عما حدث فى حياتك ، يمكنك أن تبدأ ، أن تختار أفكارك بوعى ، ويمكنك أن تغير حياتك . ليس هناك موقف ميئوس منه . كل ما يحدث فى حياتك يمكن تغييره !

قوة عقلك

مايكل بيرنارد بيكويث

إنك تجذب إليك الأفكار المهيمنة التى تحتفظ بها فى إدراكك ، سواء كانت تلك الأفكار واعية أم غير واعية . وتلك هى المعضلة .

سواء كنت واعياً بأفكارك فى الماضى أم لا ، *الآن أنت صرت واعياً بها* . بمعرفتك لـ " السر " الآن ، سوف تستيقظ من سباتك العميق وسوف تصبح مدركاً ! سوف تصبح مدركاً للمعرفة ، مدركاً للقانون ، مدركاً للقوة التى تمتلكها من خلال أفكارك .

د. جون ديمارتينى

إذا أمعنت التركيز فيما يتعلق بـ "السر"، وفى قوة عقلنا وقوة عزمنا فى حياتنا اليومية، سوف تجد أنه يحيط بنا، وكل ما علينا فعله هو أن نفتح أعيننا ونتطلع إليه.

ليزا نيكولس

تستطيع أن ترى قانون الجذب فى كل مكان، إنك تجذب إلى نفسك كل شىء؛ الناس، الوظيفة، الظروف المحيطة، الصحة، الثروة، الديون، البهجة، السيارة التى تقودها، الوسط الذى تعيش فيه، ولقد جذبت ذلك كله إليك، مثل المغناطيس. إن ما تفكر فيه هو ما تجلبه إلى نفسك. وما حياتك بكاملها إلا تجسد للأفكار التى تدور برأسك.

هذا الكون يقوم على الاشتمال وليس الاستبعاد. لا شىء مستبعد من قانون الجذب. حياتك مرآة لأفكارك المهيمنة التى تفكر فيها. وكل الكائنات الحية على هذا الكوكب تعمل عبر قانون الجذب. ولكن الاختلاف بالنسبة للبشر هو أن لديهم عقلاً يستطيعون التمييز به. بوسعهم أن يستخدموا إرادتهم الحرة *لاختيار* أفكارهم. لديهم القوة لأن يفكروا بقصد ويصنعوا حياتهم بكاملها بعقولهم.

د. فريد آلان وولف

عالم فيزياء كمية، ومُحاضر، ومؤلف حاصل على العديد من الجوائز

إننى لا أتحدث إليك من وجهة نظر التفكير التفاؤلى أو التخيلات المجنونة، بل إننى أتحدث إليك من مستوى عميق

وجوهرى للفهم . لقد بدأت الفيزياء الكمية بالفعل الإشارة إلى هذا الاكتشاف ، وهى تقول إن عقلك يشكل أفكارك وترجع إليك صور تفكيرك بوصفها تجربة خاصة بحياتك .

إذا فكرت فى تشبيه أن يكون المرء أكثر أبراج البث فعالية فى الكون ، فسوف ترى الترابط التام مع كلمات د." وولف " . يشكل عقلك أفكارك وتعود إليك الصور المبثوثة بوصفها تجربة حياتك . إنك تصنع حياتك بأفكارك ، ليس هذا فحسب ، لكن أفكارك تضيف إضافة ذات شأن فى عملية صنع العالم . إذا اعتقدت أنك بلا شأن وليس لديك أية سلطة فى هذا العالم ، فلتفكر من جديد . فعقلك بالفعل *يشكل* العالم المحيط بك .

لقد حملت لنا الإنجازات والمكتشفات المدهشة للفيزياء الكمية على مدى الثمانين عاماً الماضية فهماً أعظم قدراً للقوة التى لا يسبر غورها للعقل الإنسانى وقدرته على الإبداع. ويتوافق ما كشفته الفيزياء الكمية مع كلمات أعظم العقول فى العالم ، بمن فيهم " كارنيجى " ، " إيمرسون " ، " شكسبير " ، " باكون " ، " كرشنا " ، " بوذا " .

بوب بروكتور

إذا كنت لا تفهم القانون فذلك لا يعنى أن عليك أن ترفضه ؛ فلعلك لا تفهم الكهرباء ، ومع ذلك تستمتع بمنافعها . إننى لا أعرف طريقة عملها لكنى أفهم التالى : يمكنك طهى عشاء لشخص من خلال الفرن الكهربائى ، كما يمكنك طهى هذا الشخص نفسه بواسطة الكهرباء أيضاً !

مايكل بيرنارد بيكويث

فى أحيان كثيرة عندما يبدأ الناس فى فهم هذا "السر العظيم"، فإنهم يصابون بالخوف من جميع الأفكار السلبية التى تخطر لهم . وعليهم أن يدركوا أنه قد ثبت علمياً أن الفكرة الإيجابية لهى أقوى مئات المرات من الفكرة السلبية . وهذا يقضى على درجة من القلق لديهم .

يتطلب جلب شىء سلبى إلى حياتك الكثير من الأفكار السلبية والتفكير السلبى المستديم. ومع ذلك ، إذا أصررت على التفكير بشكل سلبى على مدار فترة من الزمن ، فلسوف تتجلى فى حياتك تلك الأفكار السلبية ، وإذا كنت تخشى من أن تساورك أفكار سلبية ، فسوف تجذب إليك المزيد من القلق من الأفكار السلبية ، وتضاعفها فى الحين ذاته . اتخذ الآن قراراً بالتفكير فى الأفكار الطيبة وحدها . وفى الوقت نفسه ، أعلن للكون أن جميع أفكارك الطيبة ذات فاعلية ، وأن أى أفكار سلبية ضعيفة .

ليزا نيكولس

نحمد الله على أن هناك تأخراً زمنياً ؛ ذلك أن جميع أفكارك لا تتحول إلى حقيقة فى التو والحال ، وإلا كنا سنقع فى أزمة إن حدث هذا ، لكن عامل تأخر الوقت يعمل لصالحنا . إنه يسمح لك بأن تعيد التقييم ، وأن تفكر بشأن ما تريد ، وأن تتخذ خياراً جديداً .

كل قدرتك على صنع حياتك متاحة فى هذه اللحظة لك ؛ لأن الحاضر هو الوقت الذى تفكر فيه . إذا كانت قد ساورتك بعض الأفكار التى لن تكون مفيدة عندما تتجسد ، فيمكنك إذن الآن تغيير أفكارك . يمكنك أن تمحو أفكارك السابقة عن طريق استبدال

الأفكار الطيبة بها . عامل الوقت فى صالحك لأنك تستطيع أن تفكر أفكاراً جديدة وترسل ترددا جديداً الآن .

د. جو فيتال

يجب أن تكون واعياً بأفكارك وأن تتخيرها بعناية ، ويجب أن تستمتع بهذا ؛ لأن حياتك هى التحفة الفنية التى شكلتها بيدك . أنت الفنان الذى يدع حياتك الخاصة ، وسوف تشكل وتبدع حياتك على خير مثال .

إحدى وسائل التحكم بعقلك أن تتعلم كيف تهدئ عقلك . كل معلم من المشاركين فى هذا الكتاب وبلا استثناء ، يمارس التأمل بوتيرة يومية .لم أدرك مدى فاعلية التأمل قبل أن أكتشف " السر " ، إن التأمل يحمل السكون لعقلك ، ويساعدك على التحكم بأفكارك ، وينعش ويجدد جسمك . والنبأ الرائع هو أنك لست مضطراً لتخصيص عدة ساعات من أجل التأمل . فقط من ثلاث إلى عشر دقائق كل يوم كبداية ، يمكنها أن تكون ذات فاعلية بصورة لا تصدق من أجل كسب السيطرة على أفكارك .

ولكى تصبح واعياً بأفكارك ، يمكنك كذلك أن تردد العبارة الإيجابية التالية : " إننى سيد أفكارى " . قلها كثيراً ، وتأمل فيها ، وعندما تتمسك بتلك النية ، فسوف تحققها عن طريق قانون الجاذبية .

إنك الآن تتلقى المعرفة التى سوف تتيح لك صنع الصورة المثالية لنفسك . إن إمكانية وجود هذه النسخة المعدلة منك قائمة فى التردد الذى يجسد " أجمل وأفضل صورة لك " . قرر ماذا تريد أن تكون ، وما تريد أن تمتلك ، ما تريد فعله ، بث التردد ، ولسوف تتحول رؤيتك إلى حياتك .

السر فى نقاط موجزة

- سر الحياة الأعظم هو قانون الجذب .

- ينص قانون الجذب على أن الشبيه يجذب شبيهه ، وهكذا حين تفكر فى فكرة ما ، فإنك كذلك تجذب الأفكار الشبيهة إليك .

- للأفكار قوة مغناطيسية ، كما أن لها تردداً ، وعندما تفكر يتم إرسال تلك الأفكار إلى الكون ، وتجذب إليها مغناطيسيًا كل الأشياء الشبيهة التى على نفس التردد ، كل شىء يرسل للخارج يعود إلى مصدره - إليك .

- إنك مثل برج للبث ولكن برج بشرى ، تبث تردداً بأفكارك . إذا أردت أن تغير أى شىء فى حياتك ، فلتغير التردد بتغيير أفكارك .

- أفكارك الحالية تشكل حياتك المستقبلية . ما تركز عليه غالباً أو تفكر فيه سوف يظهر فى حياتك .

- أفكارك تصير حقائق واقعة .

تبسيط السر

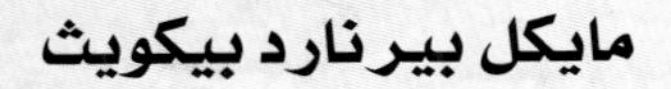

مايكل بيرنارد بيكويث

إننا نعيش فى كون تحكمه قوانين ، بالضبط مثل قانون الجاذبية الأرضية. إذا سقطت من أعلى مبنى فلا يهم إن كنت شخصاً صالحاً أو شخصاً طالحاً، فما من شىء سيمنعك من الارتطام بالأرض .

إن قانون الجذب هو قانون طبيعى . إنه غير موجه لشخص معين ، وهو حيادى تماماً مثل قانون الجاذبية الأرضية . إنه دقيق ، كما أنه صارم .

د. جو فيتال

كل الأشياء التى تحيط بك الآن فى حياتك ، بما فى ذلك الأمور التى تشتكى منها ، أنت المسئول عن اجتذابها ، وأنا أعلم أنه للوهلة الأولى سيبدو لك هذا شيئاً تكره سماعه ، وسوف تقول على الفور : "إننى

لم أجتذب حادث السيارة . لم أجتذب هذا العميل الذى قضيت معه وقتاً عصيباً ، وبالطبع لم أجتذب الديون " ، وأنا هنا ، لأقول لك بكل وضوح وثقة : بلى ، لقد جذبت كل هذه الأشياء إليك . هذا واحد من أصعب المفاهيم التى يمكن استيعابها ، ولكن بمجرد أن تتقبله، سوف تكون قادراً على تغيير حياتك

حين يسمع الناس هذا الجزء من السر لأول مرة فإنهم غالباً يستدعون من التاريخ أحداثاً راح ضحيتها الكثير من الأرواح ، ويجدون ذلك غير قابل للاستيعاب ؛ فكيف يقوم عدد كبير للغاية من الأشخاص بجذب أى حدث مهما كان . ووفقاً لقانون الجذب لابد أنهم كانوا على التردد نفسه الخاص بالحدث . ولا يعنى هذا بالضرورة أنهم فكروا فى ذلك الحدث بالتحديد، لكن تردد أفكارهم توافق مع تردد الحدث . إذا اعتقد الناس أنهم يمكن أن يكونوا فى المكان غير المناسب فى الوقت غير المناسب ، وأنه ليس لهم أى سلطة على الظروف الخارجية ، فإن تلك الأفكار الخاصة بالخوف والإحباط والعجز إذا ما استدامت وطغت على تفكيرهم ، فإنها من الممكن أن تجذبهم بالفعل إلى المكان غير المناسب فى الوقت غير المناسب .

أنت تملك الاختيار الآن . هل تريد أن تعتقد أن الحظ هو الذى يؤدى إلى الأحداث السيئة التى يمكنها أن تحدث لك فى أى وقت ؟ هل تريد أن تعتقد أنك قد توجد فى المكان غير المناسب فى التوقيت غير المناسب ؟ وأنه لا حيلة ولا سلطة لك على الظروف ؟

أم أنك تريد أن تؤمن وأن تكون *متأكداً* من أن تجربة حياتك بين يديك أنت ولا شىء غير كل خير سيأتى إلى حياتك لأنك هكذا تفكر ؟! إنك تمتلك حق الاختيار ، وأيًّا كان ما اخترت أن تفكر فيه *فسوف* يكون هو تجربة حياتك.

لا شىء يمكنه أن يصبح جزءًا من تجربتك ما لم تستدعه عبر أفكارك المستديمة والملحة .

بوب دويل

الغالبية العظمى منا يجتذبو ن الأشياء تلقائياً ، ولكننا فقط نظن أن الأمر ليس بأيدينا . إن أفكارنا ومشاعرنا تعمل بصورة تلقائية ، وهكذا فإن كل شيء يأتى إلينا تلقائياً

ما من أحد يتعمد جذب ما هو غير مرغوب فيه . بدون الاطلاع على " السر " ، من السهل أن ترى كيف تحدث بعض الأشياء غير المرغوبة فى حياتك أو فى حياة الآخرين . إنها تعزى بكل بساطة إلى انعدام إدراك القوة الإبداعية الكبرى لأفكارنا .

د.جو فيتال

الآن إذا كانت هذه المرة الأولى التى تسمع فيها هذا، فقد تجد نفسك تقول " رباه ! هل علىّ أن أرصد وأراقب أفكارى ؟ إن هذا يتطلب الكثير من الجهد ". قد يبدو الأمر كذلك فى البداية ، ولكن ها هنا يبدأ المرح والمتعة

ويكمن المرح فى أن هناك الكثير من الطرق المختصرة " للسر " ، ويمكنك أن تختار الطرق المختصرة التى تؤدى إلى أفضل النتائج بالنسبة لك . استمر فى القراءة ، وسوف ترى كيف يمكنك تحقيق ذلك .

مارسى شيموف

مؤلفة ومحاضرة دولية ورائدة فى مجال التطور الشخصى

من المستحيل أن نرصد كل فكرة تمر بنا . يخبرنا الباحثون أنه يخطر

بالنا حوالى ستون ألف فكرة كل يوم . هل يمكنك أن تتخيل مدى الإرهاق الذى سينتابك لكى تسيطر على الستين ألف فكرة تلك ؟ ولحسن الحظ هناك طريقة أسهل وهى مشاعرنا ؛ فمشاعرنا تسمح لنا بمعرفة ما نفكر فيه .

لا يمكن أن نبالغ فى تقدير أهمية المشاعر . إن مشاعرك هى الأداة الأهم لمساعدتك على تشكيل حياتك . إن أفكارك هى السبب الأول لكل شىء . وكل شىء آخر تراه وتعايشه فى هذا الكون ما هو إلا نتيجة ، بما فى ذلك مشاعرك ،لكن السبب هو دائماً أفكارك .

بوب دويل

إن العواطف هبة لا تقدر بثمن نحظى بها لتسمح لنا بمعرفة ما نفكر فيه.

إن مشاعرك تخبرك على وجه السرعة بما تفكر فيه . فكر فى الأوقات التى تفيض فيها مشاعرك فجأة ، ربما عندما تسمع بعض الأنباء السيئة . وذلك الشعور الغريب الذى ينتاب معدتك أو ضفيرتك العصبية بشكل فورى ، وبهذا تعرف أن مشاعرك بمثابة إشارة فورية لتعرفك ما تفكر فيه .

يجب أن تصبح *مدركاً لطبيعة* مشاعرك ، وتعى ما تشعر به ؛ لأن هذا هو الطريق الأسرع لكى تعرف ما تفكر فيه .

ليزا نيكولس

لديك نوعان من المشاعر : المشاعر الجيدة والمشاعر السيئة ، وأنت تعرف الفرق بينهما لأن الأولى تجعل شعورك طيباً ، والأخرى تجعل

شعورك سيئاً . إن الإحباط ، والغضب ، والنقمة هى تلك المشاعر التى تحرمك من الشعور بالسيطرة على زمام الأمور . تلك هى المشاعر السيئة .

لا أحد يستطيع أن يخبرك ما إذا كانت مشاعرك جيدة أو سيئة ؛ لأنك الوحيد الذى يعلم بطبيعة مشاعرك فى أى وقت . وإذا لم تكن واثقاً من طبيعة مشاعرك ، فسل نفسك " ما طبيعة شعورى ؟ " يمكنك أن تتوقف وتطرح هذا السؤال مرات كثيرة خلال اليوم ، وبينما تفعل تصير أكثر *إدراكاً* لطبيعة شعورك .

الأمر الأكثر أهمية بالنسبة لك هو أن تعلم أنه من المستحيل أن تكون مشاعرك سيئة فى الوقت نفسه الذى تراودك فيه أفكار طيبة ، فذلك ضد القوانين الطبيعية ؛ لأن أفكارك هى التى تولد مشاعرك ، فإذا انتابك شعور سيئ ، فهذا لأنك تفكر بأفكار *تجعلك* تشعر شعوراً سيئاً .

تحدد أفكارك التردد الخاص بك ، وتنبئك مشاعرك فى الحال بطبيعة التردد الذى تكون عليه . عندما تصبح مشاعرك سيئة ، فإنك تكون على تردد يجذب المزيد من الأمور السيئة. وعندها لا مفر أن يستجيب قانون الجاذبية بأن يبث لك فى المقابل المزيد من صور الأمور السيئة والأمور التى ستجعلك تشعر شعوراً سيئاً.

وإذا انتابك شعور سيئ ، دون أن تبذل أى مجهود لتغير أفكارك وتحسن ما تشعر به ، فكأنك بالفعل تقول : " إننى أريد المزيد من الظروف التى تحمل لى هذا الشعور السيئ .أريدها بشدة ! " .

ليزا نيكولس

الوجه المقابل لهذا هو أن تحظى بعواطف جيدة ومشاعر جيدة ، إنك

تدر كها عندما تخامر ك لأنها تجعلك تشعر بشعور طيب . المتعة ، البهجة ، الامتنان ، الحب . تخيل إذا كان بو سعنا أن نشعر بهذا كل يو م . عندما تر حب بالمشاعر الطيبة ، فإنك تجذب إليك المزيد من المشاعر الطيبة ، والأمور التى تجعلك تشعر بشعور طيب .

بوب دويل

الأمر فى غاية البساطة . "ما الذى أقوم بجذبه فى هذه اللحظة ؟ "حسناً بم تشعر ؟ "أشعر بشعور طيب "حسن جد ، واصل القيام بذلك.

من المستحيل أن ينتابك شعور طيب وفى الوقت نفسه تكون لديك أفكار سلبية . إذا كنت تشعر بشعور طيب ؛ فلأنك تحظى بأفكار طيبة ، وهكذا يمكنك أن تحظى بأى شىء فى حياتك ، ليس هناك حدود لما قد تحظى به ولكن هناك شرط واحد : عليك أن تشعر بشعور طيب ، وحين تفكر فى الأمر ، أليس هذا هو كل ما أردته دائماً ؟ إن هذا القانون مثالى .

مارسى شيموف

إذا كنت تشعر بشعور طيب ، فإنك بذلك تصنع مستقبلاً يتوافق مع رغباتك . وإذا كنت تشعر بشعور سيئ ، فإنك تصنع مستقبلاً يتعارض مع رغباتك . إن قانون الجذب يعمل فى كل ثانية من يومك . كل شىء نفكر فيه ونشعر به يصنع مستقبلنا . إذا كنت قلقاً أو خائفاً ؛ فإنك تجلب عندئذ المزيد من ذلك إلى حياتك طوال اليوم .

عندما ينتابك شعور طيب ، فلابد أنك تفكر أفكاراً طيبة ، وهكذا تكون على المسار الصحيح وتطلق تردداً قويًا يجذب إليك المزيد من الأمور التى ستحمل لك شعوراً طيباً . تشبث بتلك اللحظات التى تنتابك فيها المشاعر الطيبة ، واستغلها. كن مدركاً لحقيقة أنك كلما زدت من مشاعرك الطيبة ، زاد اجتذابك للكثيرمن الأمور الطيبة .

لنمض خطوة أخرى إلى الأمام . ماذا لو كانت مشاعرك هى بالفعل إشارات تواصل منبعثة من الكون لتجعلك تعلم ما تفكر به؟

جاك كانفيلد

إن مشاعرنا بمثابة آلة تزودنا بالتغذية الراجعة التى تخبرنا ما إذا كنا على المسار الصحيح أم لا .

تذكر أن أفكارك هى السبب الأول لكل شىء . لذا فحين تسيطر عليك فكرة دائمة ومتكررة فإنها تنبعث على الفور نحو الكون . تعمد تلك الفكرة إلى ربط نفسها مغناطيسيًا إلى تردد شبيه ، وفى غضون ثوان ترسل قراءة ذلك التردد رجوعاً إليك من خلال مشاعرك . بعبارة أخرى ، مشاعرك هى المردود الذى يرسله لك الكون استجابة لأفكارك ليخبرك بالتردد الذى تكون عليه فى الوقت الحاضر . إن مشاعرك هى آلية المردود الخاص بالتردد الذى أنت عليه !

عندما تنتابك مشاعر طيبة ، فإنها بمثابة رد الكون عليك برسالة مفادها : " إنك تفكر أفكاراً طيبة " . وعلى العكس . عندما تنتابك مشاعر سيئة فإنك تستقبل الرد برسالة مفادها : " إنك تفكر أفكاراً سيئة " .

وهكذا عندما تشعر بشعور سيئ فإن ذلك يكون رسالة من الكون تقول فى الحقيقة : " حذار ! غيِّر التفكير الآن . تم تسجيل تردد سلبى ، غيِّر التردد ، عد عدًّا تنازليًا للتوكيد ، تحذير ! " .

فى المرة التالية التى ينتابك فيها شعور سيئ أو تشعر فيها بأى عواطف سلبية ، أنصت إلى الإشارة التى تستقبلها من الكون ؛ ففى تلك اللحظة التى تشعر فيها بمثل تلك المشاعر السلبية أنت *تعوق* كل ما هو صالح لك عن المجىء إليك لأنك على تردد سلبى . غيِّر أفكارك وفكر فى شىء جيد ، وعندما تبدأ الأفكار الطيبة فى الوصول إليك سوف *تعرف* أنها جاءت لأنك تحولت إلى موجة تردد جديدة ، والكون قد أكدها لك بالمشاعر الأفضل .

بوب دويل

إنك تحصل بالتمام والكمال على مثل ما تشعر به ، لكنك لا تحصل على القدر الكثير من مثل ما تفكر فيه .

ولذلك ينزع الناس إلى التقافز والخروج عن مسارهم إذا ما التوت أقدامهم عند قيامهم من الفراش ، ويمضى يومهم بكامله على هذا المنوال . وهم لا يعرفون بالمرة أن تحولاً بسيطاً لعواطفهم من شأنه أن يبدل من يومهم برمته وحياتهم كاملة .

إذا انتويت فور استيقاظك من النوم صباحاً أن تقضى يوماً طيباً وكنت تتحلى بتلك المشاعر السعيدة بالتحديد ، وما دمت لم تسمح لأى شىء أن يغير من مزاجك ، فإنك سوف تواصل - من خلال قانون الجذب - جذب المزيد من المواقف والأشخاص الذين يدعمون ذلك الشعور السعيد.

عايشنا جميعاً مثل تلك الأيام أو الأوقات عندما يمضى شىء بعد آخر على غير ما يرام

بالمرة . إن رد الفعل المتسلسل هذا يبدأ من فكرة واحدة ، سواء كنت واعياً بذلك أم لا ، إن فكرة سيئة واحدة جذبت المزيد من الأفكار السيئة ، وانتظم التردد ، وفى نهاية الأمر حدث أمر سيئ حقا ، وعندئذ وعندما تستجيب لشىء واحد سيئ وقع ، فإنك تجذب المزيد من الأمور السيئة التى تمضى على غير ما يرام . ردود الأفعال تجذب فقط المزيد من مثيلاتها ، وسوف تواصل سلسلة ردود الأفعال فى الحدوث حتى تنأى بنفسك عن ذلك التردد ، من خلال عزمك على تغيير أفكارك بشكل واعٍ .

يمكنك أن تحول أفكارك نحو ما تريده ، وأن تستقبل توكيدات عبر مشاعرك بأنك قد غيرت ترددك ، وسوف يحكم قانون الجذب قبضته على ذلك التردد الجديد ، وسوف يرسله من جديد إليك بصفته الشكل الجديد لحياتك .

الآن يمكنك استغلال مشاعرك والاستفادة فى منها إضفاء الطاقة والحيوية على جميع أمور حياتك.

يمكنك أن تعمد إلى استخدام مشاعرك فى الانتقال إلى تردد أكثر فاعلية من خلال إخفاء بعض *المشاعر* على ما ترغب فى تحقيقه .

مايكل بيرنارد بيكويث

يمكنك أن تشعر من الآن بأنك معافى الصحة . يمكنك أن تبدأ الشعور بالرخاء والوفرة . يمكنك أن تبدأ الشعور بالحب المحيط بك ، ولو لم يكون موجوداً ، وما سوف يحدث هو أن الكون سوف يستجيب لطبيعة أغنيتك ، وسوف يستجيب الكون لطبيعة ذلك الشعور الداخلى ويتجلى لك كما تتوقعه ؛ لأن ذلك هو ما تشعر به .

وعلى هذا ، فما الذى تشعر به الآن ؟ خذ بضع دقائق لتفكر فيما تشعر به . وإذا لم تكن

تحس بشعور طيب بالقدر الذى توده ، ركز على الإحساس بمشاعرك الداخلية وأن تحسنها عامداً . عندما تركز بشدة على مشاعرك ، بنية أن تحسن منها يمكنك أن ترفعها نحو مستوى أسمى . وإحدى الطرق لتحقيق ذلك هى أن تغلق عينيك (وأن تستبعد عنك كل ما يشوشك) ، وتركز على مشاعرك الداخلية ، وتبتسم لمدة دقيقة واحدة .

ليزا نيكولس

إن أفكارك ومشاعرك تصنع حياتك . سوف يكون الأمر دائماً على هذا النحو . هذا أمر لاشك فيه !

تماماً مثل قانون الجاذبية الأرضية ، فإن قانون الجذب لا يخطئ أبداً . إنك لا ترى غزلاناً تطير فى الهواء ؛ لأن قانون الجاذبية الأرضية قد أخطأ ونسى أن يطبق الجاذبية الأرضية على الغزلان ذلك اليوم . وعلى نفس المنوال ، فليس هناك استثناءات لقانون الجذب ، فإذا حدث لك شيء ما ، لابد أن تكون قد جذبته بفكرة مستديمة . إن قانون الجذب يتسم بالدقة .

مايكل بيرنارد بيكويث

من الصعب علينا تقبل هذا ، ولكن عندما نبدأ فى تفهم واستيعاب ذلك ، فإن النتائج ستكون بالغة الروعة . فما يعنيه هذا هو أنه أياً كان ما فعلته أى فكرة فى حياتك ، فإنه يمكن تغييره من خلال حدوث تحول فى وعيك وإدراكك .

إنك تمتلك القدرة على تغيير أى شيء ؛ ذلك لأنه لا أحد سواك يختار لك أفكارك أو يحس بدلاً منك بمشاعرك.

" إنك تصنع عالمك الخاص بينما تمضى فى حياتك "

" ونيستون تشرشل "

د. جو فيتال

من المهم حقًا أن تنتابك المشاعر الطيبة ؛ ذلك لأنها هى ما ينبعث كإشارة إلى الكون فيبدأ فى جذب المزيد من المشاعر والأشياء الطيبة إليك ، وهكذا فكلما زاد مقدار ما تحسه من مشاعر طيبة اجتذبت إليك المزيد من الأمور التى تساعدك على أن تشعر بشعور طيب ، وستكون أكثر قدرة على أن تسمو بروحك المعنوية لأعلى وأعلى .

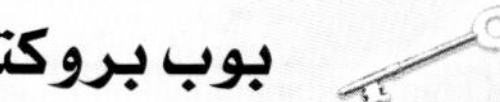

بوب بروكتور

هل تعلم أنه عندما تنتابك مشاعر الإحباط فإنك تستطيع أن تبدلها فى لحظة ؟ استمع إلى مقطوعة موسيقية جميلة ، أو ابدأ بالغناء – سوف يغير هذا مزاجك . أو تذكر شيئاً جميلاً . فكر فى طفل رضيع أو فى شخص تحبه حباً صادقاً، وركز عليه بعض الوقت . احتفظ بتلك الفكرة فى عقلك واجعل كل ماعداها خارجاً . وأضمن لك أنك سوف تبدأ فى الإحساس بشعور طيب .

ضع قائمة ببعض الأشياء التى تغير مزاجك لتستعين بها عند الحاجة . قد تكون تلك الأشياء ذكريات جميلة أو أحداثاً مستقبلية أو لحظات مرحة ، أو قد تتجسد فى الطبيعة أو فى إنسان تحبه ، أو حتى موسيقاك المفضلة . إذن ، عندما تجد نفسك غاضباً أو محبطاً أو لا تشعر بارتياح ، استعن بقائمة الأشياء التى تغير مزاجك وركز على إحدى بنودها ، وسوف تقوم أشياء مختلفة بتبديل مزاجك فى أوقات مختلفة ، وهكذا إذا لم يأتِ أحدها بنتيجة ، انتقل إلى شىء آخر . لا يقتضى الأمر أكثر من دقيقة أو اثنتين من تغير بؤرة تركيزك لكى تحول نفسك وتحول ترددك.

الحب: هو العاطفة الأسمى

جيمس راى

فيلسوف ، ومحاضر ، مؤلف ، ومؤسس كل من برنامج "بروسبيرتي" Prosperity وهيومان بوتينشيال Human Potential

ينطبق مبدأ الشعور الطيب على حيواناتك الأليفة . على سبيل المثال؛ إن الحيوانات مخلوقات مدهشة ؛ لأنها تضع المرء فى حالة عاطفية رائعة . عندما تشعر بالحب تجاه حيوانك الأليف ، ستجلب تلك الحالة الرائعة من الحب الخير إلى حياتك . ويا لها من هبة ونعمة .

" إن مزيج الفكر والحب هما التركيبة التى تُكَوِّن القوة التى لا تقاوم لقانون الجذب " .

" تشارلز هانيل "

ما من قوة أعظم شأناً فى الكون كله من قوة الحب . إن الشعور بالحب و أعلى تردد يمكنك أن تبثه . إذا أمكنك أن تغلف كل فكرة من أفكارك بالحب ، إذا أمكنك أن تحب كل شىء وكل شخص ، فسوف تتحول حياتك بشكل جذرى .

فى حقيقة الأمر ، أشار بعض من عظماء مفكرى الماضى إلى قانون الجذب على أنه قانون الحب ، وإذا أمعنت فى الأمر، ستفهم السبب ، فإذا خطرت لك أفكار غيرطيبة حول شخص

آخر ، فسوف تتجسد فيك الأفكار غير الطيبة . لا يمكنك أن تؤذى شخصاً آخر بأفكارك ، بل إنك فقط ستؤذى نفسك . إذا سيطرت عليك أفكار الحب ، فخمن من سيتلقى المنافع - انه أنت ! وهكذا فإذا كانت الحالة المهيمنة عليك هى الحب ، فإن قانون الجذب أو قانون الحب يستجيب بأقصى وأعظم قوة لأنك تقف على أعلى تردد ممكن ، وكلما زاد مقدار ما تشعر به وما تبثه من حب ، زاد مقدار ما تمتلكه من قوة وطاقة .

" إن قانون الجذب هو المبدأ الذى يعطى الفكرة قوتها الديناميكية لكى تتناسب مع موضوعها ، وبالتالى تتغلب على كل تجربة إنسانية عصيبة ، وهذا القانون هو مسمى آخر للحب . هذا مبدأ أساسى وأزلى متضمن فى كل الكائنات والأشياء وفى كل نظام فلسفى ، وكل دين وكل علم . ليس هناك مهرب من قانون الحب . إن المشاعر هى التى تضفى الحياة على الفكر . إن المشاعر هى الرغبة ، والرغبة هى الحب . والفكر المشبع بالحب لا يقهر أبداً " .

" تشارلز هانيل "

مارسى شيموف

عندما تبدأ فى فهم أفكارك ومشاعرك والسيطرة حقًّا عليها ، فحينئذ سترى كيف تصنع واقعك الخاص ، وهناك تكمن حريتك ، وهناك تجد كل قوتك .

تطلعنا " مارسى شيموف " على اقتباس رائع للعظيم " ألبرت أينشتاين " : " أهم سؤال يمكن لأى إنسان أن يطرحه على نفسه هو : هل هذا عالم ودود ؟ "

وبمعرفة قانون الجذب ، فإن الإجابة التى لا مراء فيها هى " نعم ، العالم ودود " . لماذا؟ لأنك حين تجيب بهذه الطريقة ، سوف تعايش ذلك وفقاً لقانون الجاذبية . صاغ " ألبرت أينشتاين " هذا السؤال القوى الفعال لأنه كان مطلعاً على السر ، وكان يعلم أنه بطرحه لهذا السؤال ، فإنه سيدفعنا للتفكير فى اتخاذ خيار . لقد منحنا فرصة عظيمة ، فقط بطرحه للسؤال .

وللمضى إلى ما هو أبعد بمقصد " أينشتاين " ، يمكنك أن تصيغ توكيداً وتجاهر به قائلاً : " هذا كون بديع . الكون يحتوى على كل الأمور الطيبة . كل ما يحدث بالكون يكون فى صالحى . كل ما فى الكون يدعمنى فيما أفعله ، أجد كل ما أتمناه فى الكون " ، وكن *متأكداً* من أن هذا الكون ودود حقًّا !

جاك كانفيلد

منذ أن تعلمت "السر "وبدأت فى تطبيقه على حياتى أصبحت حياتى حقًّا سحرية . أعتقد أن نوعية الحياة التى يحلم بها كل شخص هى التى أحياها أنا يومياً ؛ فأنا أعيش فى قصر ثمنه أربعة ملايين دولار ونصف ، ولى زوجة أعشقها . أقضى إجازاتى فى أروع بقاع العالم . تسلقت جبالاً. رحلت مستكشفاً ، وسافرت فى رحلات سفارى ، وكل هذا قد حدث ، واستمر فى الحدوث ، بسبب معرفتى بكيفية تطبيق السر .

بوب بروكتور

يمكن أن تكون الحياة تجربة استثنائية ، ويجب أن تكون كذلك ، ولسوف تكون كذلك ، عندما تبدأ في استخدام "السر".

هذه هى حياتك *أنت* ، هى فى انتظارك لاكتشافها ! وحتى الآن لعلك كنت تعتقد أن الحياة صعبة وكلها صراع ، وهكذا من خلال قانون الجذب سوف تعيش فعلاً حياة صعبة وكلها صراع ، فلتبدأ على الفور فى الصياح بأعلى صوت فى وجه العالم : " الحياة يسيرة جدًا ! الحياة جميلة جداً ! جميع الأشياء الطيبة تحدث لى ! " .

ثمة حقيقة دفينة بداخلك قد انتظرت طويلاً اكتشافك لها ، وهذه الحقيقة هى : *أنك تستحق كل الأشياء الطيبة التى تقدمها الحياة.* إنك تعلم هذا علم اليقين ؛ لأنك تشعر بالاستياء عندما تفتقر للأمور والأشياء الطيبة . كل الأشياء الطيبة هى حق فطرى لك! إنك تملك زمام السيطرة على نفسك ، وقانون الجذب هو أداتك البديعة لتصنع ما تريده فى حياتك ؛ فلترحب بسحر الحياة ، بسحرك الخاص !

السر في نقاط موجزة

- قانون الجذب قانون طبيعى . إنه غير موجه لشخص معين ، وهو حيادى مثل قانون الجاذبية الأرضية .

- لا شىء يمكنه أن يصبح جزءاً من تجربتك ما لم تستدعه عبر أفكارك المستديمة والملحة .

- لتعرف ما تفكر فيه ، اسأل نفسك عن شعورك ، فالمشاعر أدوات لا تقدر بثمن لتنبئنا بطبيعة تفكيرنا .

- من المستحيل أن تكون مشاعرك سيئة فى الوقت نفسه الذى تراودك فيه أفكار طيبة .

- تحدد أفكارك التردد الخاص بك ، وتنبئك مشاعرك فى الحال بطبيعة التردد الذى تكون عليه ، عندما تصبح مشاعرك سيئة فإنك تكون على تردد يجذب المزيد من الأمور السيئة ، وعندما تشعر بشعور طيب فإنك تجذب بقوة المزيد من الأمور الطيبة إليك .

- الأشياء التى تعدل مزاجك ، مثل الذكريات ، والطبيعة الخلابة ، أو موسيقاك المفضلة ، يمكنها أن تغير مشاعرك وتحول ترددك على الفور .

- إن الشعور بالحب هو أعلى تردد يمكنك أن تبثه . وكلما زاد ما تشعر به وما تبثه من حب ، زاد مقدار ما تمتلكه من قوة وطاقة .

كيف تستخدم السر

إنك مبدع ، وثمة عملية سهلة للابتكار والإبداع باستخدام قانون الجذب . لقد أطلعنا أعظم المعلمين والعباقرة على عملية الإبداع بأشكال شتى من خلال أعمالهم البديعة ، وقد وضع بعض المعلمين العظام قصصاً لإبراز كيفية عمل الكون . والحكمة التى تنطوى عليها قصصهم قد تم تناقلها عبر القرون وصارت أسطورية . العديد من الأشخاص الذين يعيشون فى يومنا هذا لا يدركون أن جوهر ولب تلك القصص هو حقيقة الحياة نفسها .

جيمس راى

إذا تذكرت حكاية علاء الدين ومصباحه ، حينما يلتقط علاء الدين المصباح وينفض عنه الغبار ، ويقفز الجنى خارجاً ؛ فدائمًا ما يقول الجنى شيئاً واحداً :

" أوامرك مطاعة يا سيدى ! " .

وتحكى القصة أن هناك ثلاث أمنيات ، لكنك لو تتبعت أصول القصة فيما مضى ، فلم يكن هناك أية حدود على الإطلاق لعدد الأمنيات. فكر فى ذلك الأمر .

والآن ، لنأخذ هذا المجاز ونطبقه على حياتك . تذكر أن علاء الدين هو الشخص الذى يطلب على الدوام ما يريده ، ثم تجد بين يديك الكون سخياً ، وهو الجنى . وقد منحت المأثورات ذلك الجنى أسماء عديدة - إنه الملاك الحارس الخاص بك ، أو ذاتك الأعلى . يمكننا أن نطلق عليه أى شىء ، ولتختر التسمية التى تعمل لخير ما فيه صالحك ، ولكن كل تراث أو عقيدة من تلك قالت إن هناك شئاً ما أضخم منا، والجنى دائمًا يقول شئاً واحدًا :

" أوامرك مطاعة ! ".

تُظهِر تلك القصة الرائعة كيف تبدع حياتك بكاملها وكل شىء فيها . لقد أطاع الجنى ببساطة كل أمر لك . الجنى هو قانون الجذب ، وهو دائماً حاضر وهو دائماً ما ينصت لأى شىء تفكر فيه ، أو تتحدث به ، أو تقوم به . ويفترض الجنى أن كل شىء تفكر فيه، تريده! وأن كل شىء تتحدث عنه ، تريده ! وأن كل شىء تتصرف من منطلقه ، فإنك تريده! أنت سيد الجنى ، والجنى موجود لخدمتك . لن يراجع الجنى أبداً أوامرك أو يستفسر عنها . إنك تفكر فى الأمر ، ويشرع الجنى على الفور فى تكييف الكون ، من خلال الناس ، والظروف ، والأحداث ؛ لتحقيق رغبتك وأمنيتك .

العملية الإبداعية

إن العملية الإبداعية المستخدمة فى " السر " ، والمستلهمة من كتب الحكمة القديمة ، هى مخطط إرشادى سهل بالنسبة لك لتصنع ما تشاء فى ثلاث خطوات بسيطة .

الخطوة ١ : اطلب

ليزا نيكولس

الخطوة الأولى هى أن تطلب . وَجِّهْ طلبك للكون . دع الكون يعرف ما تريده ، ولسوف يستجيب الكون لأفكارك بإذن الله .

بوب بروكتور

ما الذى تريده حقًّا ؟ اجلس واكتبه على صفحة من الورق . اكتبه فى زمن المضارع . يمكنك أن تبدأ بعبارة مثل "إننى سعيد وممتن للغاية الآن نظراً لأن . . . . . . " ، ومن ثم أوضح كيف تريد أن تكون حياتك ، فى كل ناحية من نواحيها .

عليك أن تختار ما تريد ، ولكن عليك أن تكون واضحاً بشأنه . هذه هى مهمتك .وإذا لم تكن واضحاً ، فإن قانون الجذب عندئذ لا يمكنه أن يجلب لك ما تريد . فسوف ترسل تردداً مختلطاً وسوف تجذب فقط نتائج مختلطة ، وللمرة الأولى فى حياتك ، فكر فيما تريده حقاً . الآن بعد أن عرفت أنك تستطيع أن تملك ، وأن تكون ، وأن تفعل أى شىء ، بلا حدود فما الذى تريده ؟

الطلب هو الخطوة الأولى فى العملية الإبداعية ، لذا فلتكتسب عادة أن تطلب وتسأل .إذا كان عليك أن تتخذ خياراً ولا تعرف أى الطرق تسلك ، فلتسل وتطلب ! ينبغى ألا تتوقف مبهوتاً أمام أى شىء فى حياتك . فقط اسأل !

د. جو فيتال

هذا شيء ممتع بحق . يبدو الأمر مثل امتلاك الكون فى كتالوج خاص بك . إنك تقلب صفحاته وتقول : "أرغب فى أن أحظى بهذه التجربة وأحب أن أمتلك ذلك المنتج وأن أكون شخصاً مثل ذلك". ودورك هو أن تصوغ طلبك من الخالق ، والكون سوف يتولى المهمة. الأمر حقًّا بهذه السهولة .

لست مضطرا لأن تطلب مراراً وتكراراً . اطلب مرة واحدة فقط .إنه تماماً مثل اختيار منتج ما من كتالوج . ليس عليك سوى أن تطلب شيئاً ما مرة واحدة . فإنك لا تحدد الطلب ثم تشك فيما إذا كان الطلب تم قبوله أم لا فتطلب من جديد ، ثم مرة أخرى ، ثم من جديد. أنت تطلب مرة واحدة ، هكذا الأمر نفسه مع العملية الإبداعية . إن الخطوة الأولى هى ببساطة أن تكون واضحاً ومتأكداً بشأن ما تريده ، وعندما تصبح واضحاً بشأنه فى عقلك، تكون قد طلبت .

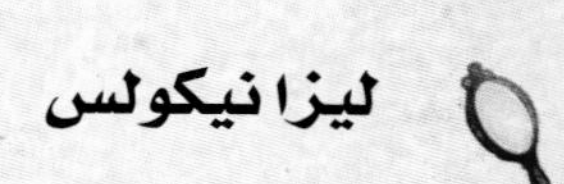

ليزا نيكولس

الخطوة التالية هى أن تؤمن . آمن بأن الأمر سار ملك يديك فعلاً . فلتتسم بما أحب أن أسميه الإيمان الذى لا يتزحزح . آمن بالغيب .

عليك أن تؤمن بأنك قد تلقيت ما تشاء. عليك أن تعرف أن ما تريده هو ملك لك لحظة طلبه . لابد أن تتحلى بإيمان كامل وتام ؛ فأنت إذا اخترت طلباً من كتالوج فسوف تسترخى وأنت عالم بأنك سوف تتلقى ما قمت بطلبه ، و تستكمل حياتك .

" انظر للأشياء التى تريدها على أنها ملكك بالفعل ، واعلم أنها سوف تأتى إليك عند الحاجة . ودعها تأت . لا تقلق ولا تغتم بشأنها . ولا تفكر فى افتقارك لها . فكر فيها على أنها ملكك ، كما لو أنها تنتمى إليك ، فى ملكيتك بالفعل " .

" روبرت كولير " (١٨٨٥-١٩٥٠)

فى اللحظة التى تطلب فيها ، *وتؤمن* ، *وتعلم* بأنك تحظى بالفعل فى الغيب بما تريد ، يتحول الكون كله لتحقيق ما تريد فى العالم الواقعى . عليك أن تتصرف ، وتتحدث ، وتتفكر ، كما لو أنك تتلقاه *الآن* . لماذا ؟ لأن الكون مرآة ، وقانون الجذب يعكس إليك أفكارك المهيمنة . وهكذا أليس من المنطقى والمعقول أن ترى نفسك تتلقى ما تريد ؟ إذا اشتملت أفكارك على عدم حصولك على ذلك الشىء بعد ، فسوف تستمر فى جذب عدم امتلاكك له . عليك أن تؤمن بأنك تمتلكه بالفعل . عليك أن تؤمن بانك تلقيته ، يجب أن تبث ترددك الحسى بتلقيه لتستعيد تلك الصور من جديد إلى حياتك ، وحين تقوم بذلك فإن قانون الجذب سوف يقوم بكل فاعلية بتحريك جميع الظروف ، والأشخاص ، والأحداث ، من أجل أن تتلقى ما تريد .

عندما تحجز لقضاء إجازة ، أو تطلب شراء سيارة جديدة فارهة ، أو تشترى منزلاً ، فإنك تعلم بأن تلك الأشياء قد أصبحت ملكك . ولن تذهب لتحجز لك مكاناً لقضاء إجازة أخرى فى نفس الفترة الزمنية ، أو تبتاع سيارة أخرى أو منزلاً آخر . إذا ربحت ورقة فى

اليانصيب أو ورثت إرثاً عظيماً ، فحتى قبل أن تمتلك المال ماديًا ، تدرك أنه قد صار ملكك. هذا هو المقصود بشعور الإيمان بأنه ملكك وبأنك قد تلقيته . احصل على الأشياء التى تريدها بالشعور والإيمان بأنها ملكك . عندما تقوم بذلك ، فإن قانون الجذب سيقوم بكل فاعلية بتحريك جميع الظروف ، والأشخاص ، والأحداث ، من أجل أن تتلقى ما تريد .

كيف تصل بنفسك إلى نقطة الإيمان ؟ ابدأ بالتخيل . كن مثل طفل ، وابدأ التخيل . تصرف كما لو أنك تحظى بالشىء فعلاً ، وعندما تتخيل سوف تبدأ فى الإيمان والتصديق بأنك قد تلقيته . يستجيب الجنى لأفكارك المهيمنة طيلة الوقت ، وليس فقط فى لحظة طلبك للأمر ، ولهذا السبب بعد أن تطلب عليك أن تستمر فى *التصديق والمعرفة* . تَحَلَّ بالإيمان . إن إيمانك بأنك تحظى بهذا الشىء ، ذلك الإيمان الراسخ ، هو القوة الأعظم عندك . عندما تصدق أنك سوف تتلقى ما تريد ، استعد وراقب السحر يبدأ !

" يمكنك أن تحظى بما تريد - إذا علمت كيف تصوغ القالب الخاص به فى أفكارك . ليس هناك حلم لا يمكن أن يتحقق ، إذا تعلمت فقط استخدام القوى الإبداعية التى تعمل من خلالك . إن الطرق التى تجدى نفعاً مع أحدهم سوف تجدى نفعاً مع الجميع . يكمن سر القوة فى استخدام ما تحظى به ... بحرية ... وبأقصى حد ، وبالتالى أن تفتح قنواتك على أقصى اتساع لها أمام المزيد من القوة الإبداعية لتتدفق عبرك " .

" روبرت كولير "

د. جو فيتال

سوف يعمد الكون إلى إعادة ترتيب ذاته ليجعل الأمر ممكن الحدوث بالنسبة لك .

جاك كانفيلد

الغالبية العظمى منا لم يسمحوا أبداً لأنفسهم أن يريدوا ما هم حقاً راغبون فيه ؛ لأنهم لا يستطيعون أن يدركوا كيف سيتبدى لهم .

بوب بروكتور

إذا قمت ببحث صغير فحسب ، ستجد فيه برهاناً لك أن أى شخص قد توصل ذات مرة إلى شىء ما وأنجزه ولم يكن يعلم كيف سيكون عليه الأمر ، لكنه علم فقط أنه سينجز ويحقق ما انتواه .

د. جو فيتال

لست مضطرًّا لأن تعرف كيف ستحدث الأمور . لست مضطرًّا لأن تعرف كيف سيعيد الكون ترتيب ذاته .

ليس مهمًا بالنسبة لك أن تعرف كيف سيحقق لك الكون ما تنشده . دع الكون يقم بهذا نيابة عنك . عندما تحاول أن تتبين كيف سيتم هذا ، فإنك تبث تردداً يتضمن نقصاً للإيمان - إنك لا تؤمن بأنك قد حزته حقًا . إنك تظن أن عليك القيام بذلك ولا تصدق بأن الكون سوف يقوم به نيابة عنك ، لكن " الطريقة "ليست الدور المنوط بك فى العملية الإبداعية .

بوب بروكتور

إنك لا تعرف كيف سيتجلى لك الأمر . سوف تجذب إليك الطريقة.

ليزا نيكولس

فى أغلب الأوقات ، حين لا نرى الأشياء التى طلبناها ، فإننا نحبط ، ويخيب أملنا ونصير متشككين . يأتى الشك مع الشعور بخيبة الأمل . خذ ذلك الشك وقم بتحويله . تعرف على ذلك الشعور ، واستبدل به إيماناً لا يتزحزح . "أعلم أن ما أنشده فى طريقه إلىّ ".

الخطوة ٣ : تلقَّ

ليزا نيكولس

الخطوة الثالثة ، وهى الخطوة الأخيرة فى العملية الإبداعية ، وهى أن تتلقى ما تنشده . ابدأ فى التحلى بشعور رائع حيال هذا ، واشعر بالإحساس الذى ستحظى به عندما تصل إلى مقصدك . اشعر بذلك من الآن .

مارسى شيموف

ومن المهم فى هذه السلسلة من الخطوات أن تحس شعوراً طيباً ، أن تكون سعيداً ؛ لأنه عندما تشعر شعوراً طيباً فإنك تضع نفسك على التردد المناسب لما تنشده .

مايكل بيرنارد بيكويث

هذا كون من المشاعر . إذا صدقت شيئاً ما ذهنياً وحسب ، لكنك لم

تتوافق معه بإحساسك ، فقد لا يكون لديك بالضرورة الطاقة الكافية لإظهار ما تنشده فى حياتك . ينبغى عليك أن تشعر به .

اطلب مرة واحدة ، وصدق أنك تلقيت ما طلبته ، وكل ما عليك القيام به لكى تتلقى ما تطلبه هو أن تشعر شعوراً طيباً . حين تحس شعوراً طيباً ، تكون على التردد الخاص بالتلقى. تكون على التردد المناسب لكى تحدث لك جميع الأمور الطيبة ، وسوف تتلقى ما طلبته . ما كنت لتطلب أى شىء إلا إذا كان سيجعلك تشعر شعوراً طيباً عند تلقيه ، أليس كذلك ؟ وهكذا فلتكن على تردد الشعور الطيب ، ولسوف تتلقى ما تطلبه.

ومن الطرق السريعة لأن تضع نفسك على هذا التردد أن تقول : " إننى أتلقى الآن ، إننى أتلقى كل الخير فى حياتى ، الآن . إننى أتلقى (اذكر رغبتك) الآن ". واستشعر الأمر ، اشعر كما لو أنك تلقيت بالفعل ما أردت .

هناك صديقة عزيزة علىَّ ، " مارسى " ، وهى واحدة من أفضل من يقومون بهذا وهى *تشعر* بكل شىء . *تشعر* بالنحو الذى سيكون عليه الأمر عندما تحظى بما تطلبه . إنها *تشعر* بكل شىء حتى يصبح واقعاً . وهى لا تشغل بالها بالكيفية أو الوقت أو المكان الذى سيتم فيه الأمر ، إنها فقط تشعر بالأمر ومن ثم يتبدى لها متحققاً .

وهكذا فلتتحلَّ الآن *بشعور طيب* .

بوب بروكتور

عندما تحول ذلك الخيال إلى حقيقة ، سوف تتمكن من بناء خيالات أكبر وأكبر حجماً ، وتلك ، يا صديقى ، هى العملية الإبداعية .

" مهما كان ما تدعو به فى صلاتك ، فإن الله يستجيب لك " .

" حكمة قديمة "

" أيا كانت الأشياء التى ترغب فيها ، فحين تصلى آمن أنها سوف تتحقق ، ولسوف تتحقق " .

" حكمة قديمة "

بوب دويل

إن قانون الجذب ودراسته وممارسته ، كل ذلك يعتمد على اكتشاف ما سيساعدك فى توليد مشاعر امتلاك الشيء المنشود الآن . اذهب واختبر قيادة تلك السيارة . اذهب وتسوق من أجل ذلك المنزل . ادخل البيت ، قم بما يتطلب الأمر القيام به أياً كان من أجل أن تولد مشاعر امتلاك ذلك الشيء المنشود الآن ، وتذكر تلك المشاعر . وأياً كان ما تستطيع القيام به من أجل إنجاز ذلك سوف يساعدك على جذبه واقعياً .

عندما تشعر كما لو أنك تمتلك ما ترغبه الآن ، وتكون مشاعرك حقيقية للغاية كما لو أنك امتلكت ما ترغبه بالفعل ، فإنك تصدق أنك تلقيت ذلك الشيء المنشود ، وسوف تتلقاه .

بوب دويل

يمكن أن يتم الأمر على هذا النحو ، أن تستيقظ وتجد ما ترغبه متجسداً

أمامك ، أو تراودك فكرة ثاقبة حول ما يتوجب عليك فعله لتحقيق ما ترجوه ، ولا يجب عليك أن تقول : " حسناً ، يمكننى القيام بهذا على هذا النحو ، ولكن سأكره ذلك " . فإنك لا تكون على المسار الصحيح إذا كانت الحالة هكذا . سوف يكون الفعل والتحرك لابد منهما أحياناً ، ولكن إذا ما كنت تقوم بذلك حقًّا بالتوافق مع ما يحاول الكون أن يجلبه لك ، فسوف يحمل لك شعوراً بهيجاً ، وسوف تشعر بأنك مفعم بالحياة. سوف يتوقف الزمن بالنسبة لك ، ويمكنك القيام بذلك طوال اليوم .

الفعل هو كلمة ترادف " العمل " لبعض الأشخاص ، لكن الفعل المستلهم لا يبدو وكأنه عمل على الإطلاق ، والفارق بين الفعل الملهم والفعل بشكل عام هو : الفعل المستلهم هو عندما تفعل لكى تتلقى ما تريد . إذا كنت تعمل لتحاول جعل أمر يحدث ، فقد انزلقت للوراء ؛ فالفعل المستلهم لا يحتاج لبذل جهد ، وهو يحمل شعوراً رائعاً لأنك تكون على تردد التلقى .

تخيل الحياة مثل نهر سريع الجريان . عندما تعمل لكى تجعل شيئاً ما يحدث سيبدو الأمر كما لو أنك تسبح ضد تيار مجرى النهر . سيبدو الأمر مثل صراع ومعركة . أما عندما تعمل لكى تتلقى من الكون ، سوف تشعر كما لو أنك تطفو مع تيار مجرى النهر . سيكون أمراً لا يتطلب أى جهد . هذا هو شعور الفعل المستلهم ، أن تطفو مع تيار الكون والحياة .

أحياناً لن تكون مدركاً حتى أنك استخدمت " الفعل " حتى بعد أن تتلقى ما تنشد ؛ لأن القيام بـ " الفعل " يمنحك إحساساً رائعاً . سوف تسترجع عندئذ ما مضى وترى روعة الطريقة التى حملك بها العالم لما أردته ، وأيضًا الطريقة التى جلب بها ما أردته .

د. جو فيتال

الكون يحب السرعة . لا تتباطأ ، لا تفكر مرة ثانية . لا تتشكك.

عندما تجد أمامك الفرصة ، عندما توجد الدافعية ، عندما يكون الحافز الفطرى بداخلك فلتتحرك . تلك هى مهمتك ، وهذا كل ما عليك القيام به .

ثق بغرائزك ، إنها الإلهام الذى يرسله لك الكون . إنها وسيلة الكون للتواصل معك على موجة التلقى . إذا كان لديك شعور فطرى أو غريزى ، فاتبعه ، وسوف تجد أن الكون يحركك مغناطيسيًا لكى تتلقى ما طلبته وسعيت إليه .

بوب بروكتور

سوف تجذب كل شىء تحتاج إليه . إذا كان المال هو ما تحتاج إليه فسوف تجذبه . إذا كان الناس هم من تحتاج إليهم فلسوف تجذبهم . وإذا كان ما تنشده هو كتاب محدد فلسوف تجذبه . عليك أن تولى انتباهاً إلى ما تنجذب إليه ؛ لأنك بينما تحتفظ بصور الأشياء التى تحتاج إليها ، سوف تنجذب إليها وسوف تنجذب إليك ، ولكنها تنتقل إلى العالم المادى بك ومن خلالك ، ويتم هذا وفقاً لقانون الجذب .

تذكر أنك مغناطيس ، تجذب إليك كل شىء . حين تصبح واضحاً بشأن ما تريد ، فإنك تصير مغناطيساً تجذب إليك ما تريد ، وتلك الأشياء تنجذب إليك بدورها . وكلما تمرنت وتمرست وبدأت ترى قانون الجذب يجلب لك الأشياء ، صرت مغناطيساً أكبر حجماً ؛ لأنك سوف تضيف قوة الإيمان ، والتصديق ، والمعرفة .

مايكل بيرنارد بيكويث

يمكنك أن تبدأ بلا شىء ، ومن لا شىء ومن لا مكان ، وسوف تجد طريقك .

كل ما تحتاج إليه هو أنت ، وقدرتك على التفكير فى الأشياء لتجلبها إلى الوجود . كل شىء تم ابتكاره واختراعه عبر تاريخ البشرية بدأ من فكرة واحدة ، من تلك الفكرة الوحيدة انفتح الطريق ، وتجسد وانتقل من العدم إلى الوجود .

جاك كانفيلد

فكر فى سيارة تسير ليلاً . الأضواء الأمامية فقط تمتد لمسافة مائة أو مائتى قدم إلى الأمام ، ويمكنك أن تقطع بها المسافة من كاليفورنيا إلى نيويورك سائراً عبر الظلام ؛ لأن كل ما عليك أن تراه هو المائتا قدم التالية . وهكذا تنزع الحياة لأن تتكشف أمامنا . فإذا وثقنا وحسب أن مسافة المائتى قدم التالية سوف تتكشف أمامنا ، وأن مسافة المائتى قدم التالية بعد ذلك سوف تتكشف أمامنا بعد ذلك ، ستواصل حياتك التكشف والظهور . وسوف تصل فى نهاية الأمر إلى مقصدك أيًّا كان ذلك لأنك تريده .

ثق بالله . ثق وصدق وتحل بالإيمان . لم يكن لدى أدنى فكرة كيف يمكن لى أن أنقل "السر" إلى شاشة السينما ، ولكننى تشبثت فقط بنتيجة الرؤية ، رأيت النتيجة واضحة فى عقلى ، شعرت بها بكل قوتى ، وكل شىء احتجنا إليه لنصنع " السر " أتى إلينا .

" اتخذ الخطوة الأولى بالإيمان . لست مضطرًا لأن ترى السلالم التالية كلها . فقط اصعد الدرجة الأولى " .

د. " مارتن لوثر كنج الابن " **(١٩٢٩-١٩٦٨)**

السر وجسدك

دعونا نناقش استخدام العملية الإبداعية بالنسبة لهؤلاء الذين يشعرون بأنهم زائدو الوزن ويرغبون فى إنقاص وزنهم .

الشىء الأول الذى تجب معرفته هو أنك إذا ركزت على إنقاص الوزن سوف تجذب إليك اضطرارك لفقدان المزيد من الوزن ، وهكذا أخرج فكرة " اضطرارك لفقدان الوزن " من عقلك ؛ فهذا هو السبب الذى يجعل النظم الغذائية لا تأتى بنفع . ولأنك تركز على فقدان الوزن ، فلابد أن تجذب إليك باستمرار الاضطرار لفقدان الوزن .

الشىء الثانى الذى تجب معرفته هو أن حالة البدانة خلقتها أفكارك . ولنوضح المسألة ، فإذا كان أحدهم زائد الوزن ، فإن ذلك نتج عن الأفكار التى " تتعلق بالسمنة " . فسواء كان مدركاً لذلك أم لا ، فلا يمكن أن تراود الشخص أفكار حول "النحافة" ويكون بديناً ؛ فهذا ينافى قانون الجذب تمامًا .

سواء عرف أحد الأشخاص أنه مصاب بضعف فى إفراز هرمون الغدة الدرقية أو أن تمثيله الغذائى بطىء ، أو أن وزنه الزائد أمر وراثى ، فإن كل تلك الأمور ما هى إلا أحد أشكال " الأفكار التى تتعلق بالسمنة " .فإذا طبقت على نفسك إحدى تلك الحالات وصدقت ذلك ، فسوف تصبح تجربة حياتك ، وسوف تستمر فى جذب المزيد من البدانة .

بعد أن وضعت ابنتاى كنت زائدة الوزن ، وأعرف أن هذا حدث نتيجة لاستماعى وقراءتى للرسائل التى تقول إنه من الصعب فقدان الوزن بعد الإنجاب ، بل وأكثر صعوبة بعد

إنجاب الطفل الثانى ، وقد جلبت ذلك لنفسى من خلال تلك "الأفكار التى تتعلق بالسمنة"، وهكذا صارت تجربتى الحياتية . صار جسدى حقًّا مكدساً باللحم ، وكلما لاحظت مدى "تكدسى باللحم" ، صار جسدى أكثر بدانة . ومع حجم جسمى الضئيل فى الأصل ، أصبحت أزن ١٤٣ رطلاً ، وكل ذلك لأننى كنت أفكر " أفكاراً جالبة للسمنة " .

أكثر الأفكار شيوعاً مما يحتفظ به الناس ، حتى أنا أيضا احتفظت بها ، هو أن الطعام كان مسئولاً عن زيادة وزنى . إنه اعتقاد لا يخدمك ، وفى عقلى الآن هذا الكلام فارغ تماماً ! فالطعام ليس مسئولاً عن زيادة الوزن ، إن فكرتك أن الطعام مسئول عن زيادة الوزن هى التى فى الحقيقة تجعل الطعام مسئولاً عن زيادة الوزن . تذكر ، الأفكار هى السبب الأصلى لكل شىء ، وبقية الأمور هى آثار لتلك الأفكار فلتفكر فى أفكار رائعة ومثالية ولابد أن تكون النتائج هى وزن رائع ومثالى .

تخل عن جميع تلك الأفكار المقيدة . الطعام لا يمكنه أن يؤدى إلى زيادة الوزن ، إلا إذا فكرت أنه بوسعه ذلك .

إن تعريف الوزن المثالى هو الوزن الذى تشعر بالرضا عنه ، لا يعد رأى أى شخص آخر له قيمة ، الوزن المثالى هو ما تحمل معه شعوراً طيباً .

لعلك على الأرجح تعرف شخصاً ما نحيفاً ويأكل بشهية حصان ، وهو يعلن متفاخرًا " يمكننى أن آكل أى شىء يروق لى وعلى الدوام سوف أحظى بالوزن المثالى " ، وهكذا يقول الجنى : " أوامرك مطاعة ! " .

لكى تجذب وزنك المثالى وجسدك المثالى باستخدام العملية الإبداعية ، اتبع الخطوات التالية :

خطوة ١ : اطلب

كن واضحاً بشأن الوزن الذى تريد أن تكون عليه . لتكن لديك صورة فى عقلك لما سوف تبدو عليه من هيئة عندما تصل إلى ذلك الوزن المثالى . أحضر بعض الصور التى كنت تحظى فيها بالوزن المثالى ، إذا كان لديك بعض منها ، وانظر إليها كثيراً . وإذا لم يكن لديك، حصل على صورة للجسد الذى تود أن تحظى به وانظر إليها كثيراً .

خطوة ٢ : آمن

لابد أن تؤمن بأنك سوف تتلقى ما تنشد ، وأن ذلك الوزن المثالى قد صار ملكك فعليًا . عليك أن تتخيل ، وتتظاهر ، وتتصرف من منطلق أن ذلك الوزن قد صار ملكك بالفعل . لابد أن تتخيل نفسك وأنت تستقبل ذلك الوزن المثالى .

اكتب وزنك المثالى وعلقه على مؤشر الميزان الخاص بك ، أو لا تزن نفسك على الإطلاق . لا تناقض ما طلبته بأفكارك ، وكلماتك ، وأفعالك ، لا تشتر ملابس ملائمة لوزنك الحالى . تحلَّ بالإيمان وركز على الملابس التى سوف تبتاعها . إن جذب الوزن المثالى هو تماماً مثل تحديد خيار من كتالوج الكون . إنك تتصفح الكتالوج ، فتختار الوزن المثالى ، أى تحدد طلبك ، ومن ثم يتم إرساله إليك .

لتعقد نيتك أن تتطلع إلى الأشخاص الذين يتحلون بالأجساد ذات الوزن المثالى من وجهة نظرك ، وتأمل أجسادهم بإعجاب وأثنِ عليها فى داخلك . ابحث عنهم

وعندما تعجب بهم وتحس بتلك المشاعر . فسوف تستدعى ذلك الجسم المثالى إليك . أما إذا رأيت أشخاصاً زائدى الوزن ، فلا تراقبهم ، ولكن حول عقلك على الفور إلى صورتك بجسدك المثالى واشعر بالأمر .

الخطوة ٣ : تلقَّ

لابد أن يكون شعورك طيباً ، ولابد أن تشعر بشعور طيب حيال نفسك ، هذا أمر مهم ؛ لأنك لا تستطيع أن تجذب وزنك المثالى إذا كنت تحس شعوراً سيئاً حيال جسدك الآن . إذا كنت تحس شعوراً سيئاً حيال جسدك ، فإن ذلك يكون شعوراً قويًا وفعال ، ولسوف تستمر فى جذب الشعور السيئ حيال جسدك . لن تغير جسدك أبدًا إذا كنت بالغ الانتقاد له ومتصيداً عيوبه ، وفى الحقيقة إنك سوف تجذب المزيد من الوزن إليك ، فلتمدح كل بوصة مربعة من جسدك . تذكر كل الأشياء الرائعة الخاصة بك ، وعندما تراودك أفكار مثالية ، وعندما تحظى بشعور طيب حيال نفسك ، فإنك تكون على التردد الخاص بوزنك المثالى ، وتجذب إليك الجسم المثالى .

يعرض " والاس واتلس " فى واحد من كتبه نصيحة بشأن تناول الطعام . إنه يوصى بأنك حين تأكل ، عليك أن تحرص على أن تكون فى حالة تركيز تام على تجربة مضغ الطعام . اجعل عقلك حاضراً وعش إحساس تناول الطعام ، ولا تدع عقلك ينحرف إلى أشياء أخرى . كن حاضراً فى جسدك ، واستمتع بجميع الأحاسيس الخاصة بمضغ الطعام فى فمك وابتلاعه . جرب ذلك فى المرة التالية التى تتناول فيها طعامك . عندما تكون حاضر الذهن تماماً حين تأكل ، فإن نكهة

الطعام سوف تكون قوية جدًا ، وعندما تدع عقلك ينحرف ، فإن النكهة تختفى. إننى مقتنع أنه إذا كان بوسعنا أن نتناول طعامنا ونحن حاضرو الذهن ، ونحن فى حالة تركيز تام على التجربة البهيجة للأكل ، فإن الطعام يتمثل بداخل أجسادنا على نحو مثالى ، ولابد أن النتيجة فى أجسادنا ستكون مثالية .

ونهاية القصة بشأن وزنى الخاص أننى الآن أحافظ على وزنى المثالى وهو ١١٦ رطلاً ، ويمكننى أن آكل أى شىء أريده . وهكذا ، فلتركز على وزنك المثالى !

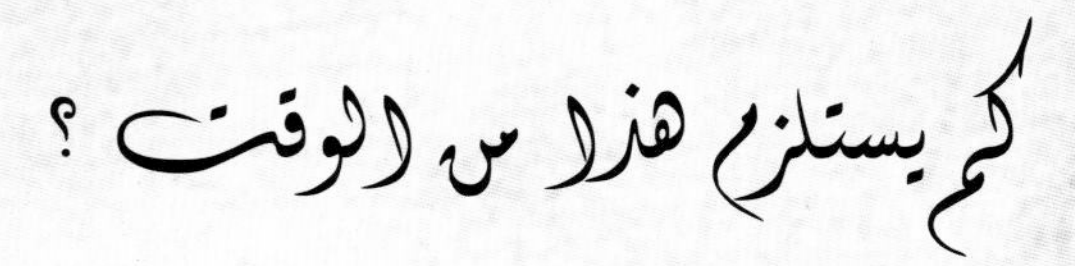

د. جو فيتال

من بين الأشياء الأخرى التى يتساءل الناس بصددها : " كم يستلزم من الوقت للحصول على السيارة ، وشريك الحياة و المال ؟ "ليس بحوزتى أى كتاب قواعد ينص على أن هذا يستلزم ثلاثين دقيقة أو ثلاثة أيام أو ثلاثين يوماً ، بل الأمر يتعلق بكونك متوازياً ومتوافقاً مع الكون ذاته .

الزمن مجرد وهم . هكذا أخبرنا " أينشتاين " . وإذا كانت هذه هى المرة الأولى التى تسمع فيها هذا الأمر ، فلعلك تجده مفهوماً عسيراً على الفهم ؛ ذلك لأنك ترى كل شىء يحدث. كل شىء بعد الآخر . ما يخبرنا به علماء الفيزياء الكمية و " أينشتاين " هو أن كل شىء يحدث بالتزامن . إذا استطعت أن تفهم أنه ما من زمن هناك ، وأن تتقبل ذلك المفهوم ، فسوف ترى عندئذ أن كل ما تريده فى المستقبل هو موجود بالفعل . إذا كان كل شىء يحدث فى الزمن نفسه ، فإن النسخة الموازية منك التى تحظى بما تريده موجودة فعليًا !

فالأمر لا يقتضى أى وقت من الكون لكى يجلب ما تريد . وأى تأخر فى الوقت تمر به يرجع إلى تأخرك فى الوصول إلى موضع الإيمان والمعرفة والشعور بأنك بالفعل قد حظيت بذلك . أنت من تضع نفسك على التردد لما تريد . عندما تكون على ذلك التردد ، فسوف يظهر ما تريد .

بوب دويل

الحجم ليس له أهمية بالنسبة للكون ؟ فعلى المستوى العلمى لا يعد جذب شىء مما نعده ضخم الحجم أكثر صعوبة من جذب شىء مما نعده صغيراً متناهى الدقة .

يقوم الكون بكل شىء بلا أدنى جهد. لا يكافح العشب حتى ينمو . يجرى ذلك بلا أدنى جهد . إنه فقط هذا التصميم العظيم للخالق .

يتعلق الأمر كله بما يجرى فى عقلك . يتحدد بما نحدده نحن ، كأن نقول: "إن هذا أمر كبير ، سوف يأخذ بعض الوقت "أو "هذا أمر صغير سأمنحه ساعة من وقتى " تلك هى قواعدنا التى نضعها . ليس هناك قواعد بالنسبة للكون . أنت تزود الكون بالمشاعر الدالة على حصولك على الشىء المرجو فى التو واللحظة ؛ وسوف يسخر الله الكون ليستجيب لتلك المشاعر - أياً كان نوعها .

ليس هناك زمن بالنسبة للكون ، وليس هناك حجم بالنسبة للكون ، إن الحصول على مليون دولار هو بنفس سهولة الحصول على دولار واحد ؛ فالأمر يعتمد على نفس العملية ، ولكن السبب الوحيد الذى يجعل أحدهما يأتى أسرع من الآخر هو أنك تعتقد أن مبلغ المليون دولار كبير لتحصل عليه بنفس سهولة الحصول على مبلغ صغير مثل دولار واحد .

بوب دويل

يجد بعض الأشخاص سهولة أكبر فى طلب الأمور الصغيرة ، وهكذا نقول أحياناً ابدأ بشىء صغير ، مثل فنجان قهوة ، لتكن نيتك هى أن تجذب فنجان قهوة اليوم .

بوب بروكتور

داوم على تخيل أنك تتحدث إلى صديق قديم لم تره منذ فترة طويلة. وبطريقة أو بأخرى سوف يشرع شخص ما فى التحدث إليك عن ذلك الشخص ، ولسوف يتصل بك ذلك الشخص أو سوف تتلقى منه رسالة .

البداية بشىء صغير طريقة سهلة لتجربة قانون الجذب ورؤيته بعينيك . دعنى أشاركك قصة رجل شاب قد قام بذلك ؛ حيث إنه رأى فيلم " السر " وقرر أن يبدأ بشىء صغير.

صنع صورة فى خياله لريشة ، وحرص على أن يكون شكلها مميزاً . ورسم بأصابع خياله علامات على هذه الريشة حتى يتأكد بلا أدنى شك أنها ريشته المقصودة إذا رآها ، وأنها أتت إليه من خلال استخدامه المقصود لقانون الجذب .

بعد ذلك بيومين ، كان على وشك دخول مبنى شاهق الارتفاع فى أحد شوارع مدينة نيويورك . قال إنه لم يعرف ما الذى دفعه للنظر أسفل قدميه ، ولكنه عندما نظر عند قدمه ، وفى مدخل بناية شاهقة الارتفاع فى نيويورك ، كانت الريشة هناك ! ليس فقط أى ريشة ، لكنها الريشة نفسها التى تخيلها تماماً . كانت مطابقة للصورة التى خلقها فى

عقله ، بكل علاماتها الفريدة ، وقد علم من تلك اللحظة ، ودون ذرة شك ، بأن هذا كان قانون الجذب يعمل بكل مجده وجلاله . وأدرك قدرته العجيبة على جذب كل ما يرجو عبر قوة عقله . وبإيمان تام ، انتقل الآن إلى استدعاء أشياء أكبر حجماً .

ديفيد شيرمر

مدرب استثمار ، معلم ، ومتخصص تكوين ثروات

يندهش الناس كيف أنجح فى العثور على مكان لركن سيارتى . لقد صرت ناجحاً فى هذا منذ أن فهمت "السر" لأول مرة . إننى أتخيل مساحة خالية تماماً فى الموضع الذى أريده، وبنسبة ٩٥٪ من المرات تكون هناك فى انتظارى، وأقود سيارتى إليها مباشرة. وبنسبة ٥٪ من المرات يكون علىَّ أن أنتظر حتى يخرج من يشغل المكان بسيارته فأدخل أنا. أقوم بذلك طوال الوقت.

الآن لعلك تفهم لماذا يجد الشخص الذى يقول : " إننى دائما أجد مكاناً لإيقاف سيارتى " أماكن شاغرة دائماً . أو لماذا يفوز الشخص الذى يقول " إننى محظوظ حقًا ، أفوز بأشياء طوال الوقت " بشئ بعد الآخر ، طوال الوقت . إن هؤلاء يتوقعون ذلك ، ابدأ فى توقع الأشياء الرائعة ، وعندما تفعل ، سوف تصنع حياتك مسبقاً .

اصنع يومك مسبقاً

تستطيع أن تستخدم قانون الجذب لكى تشكل حياتك بكاملها مقدمًا ، ويمكنك تطبيق ذلك على الشىء التالى الذى ستقوم به اليوم . " برنتيس مالفورد " ، هو معلم يقدم فى كتاباته العديد من الأفكار الثاقبة حول قانون الجذب وكيفية استخدامه ، ويستعرض مدى أهمية أن تشكل يومك مسبقاً .

" حينما تقول لنفسك " سوف أقوم بزيارة سعيدة أو رحلة سعيدة ، فإنك فعليًا ترسل عناصر وعوامل قوى تسبق جسدك إلى المكان المستهدف لتجعل زيارتك أو رحلتك سعيدة . عندما تكون فى مزاج سيئ قبل الزيارة أو الرحلة أو رحلة التسوق ، فإنك ترسل عملاء خفيين قبلك إلى المكان مما سيجعلك منزعجاً نوعاً ما . إن أفكارنا ، أو بعبارة أخرى ، حالتنا العقلية ، تعمل دائماً على " إعداد " الأمور الطيبة أو السيئة مقدماً " .

" برنتيس مالفورد "

لقد كتب " برنتيس مالفورد " تلك الكلمات فى حقبة السبعينات من القرن التاسع عشر . يا له من رائد ! تستطيع أن ترى بكل وضوح مدى أهمية أن *تفكر مقدماً* فى كل حدث فى كل يوم ، ومن المؤكد أنك قد عايشت من قبل عدم التفكير مسبقاً فى يومك ، وأحد تداعيات هذا الأمر هو أنك تكون فى حالة من التسرع والعجلة .

وإذا كنت تتصرف بتسرع وعجلة ، فاعلم أن تلك الأفكار والأفعال معتمدة على الخوف (الخوف من التأخر) وهكذا فإنك « تُعِد » مسبقاً الأمور السيئة لنفسك ، وبينما تواصل الاندفاع ، سوف تجذب شيئًا سيئًا بعد آخر فى طريقك . بالإضافة إلى ذلك ، فإن قانون الجذب سوف يعمل على " إعداد " *المزيد* من الظروف المستقبلية التى ستؤدى إلى دفعك للتسرع والاندفاع . عليك أن *تتوقف* وتضع نفسك خارج ذلك التردد . خذ دقائق قليلة وحول نفسك ، إذا لم ترغب فى استدعاء الأمور السيئة إليك .

الكثير من الناس ، وخصوصاً فى المجتمعات الغربية ، يطاردون " الوقت " ويشتكون من أنهم لا يجدون الوقت الكافى لأى شىء . حسنًا ، عندما يقول أحدهم إنه لا يجد الوقت الكافى، فإذن لابد أن يحدث هذا عن طريق قانون الجذب . إذا كنت تحبط نفسك بأفكار حول افتقارك إلى الوقت الكافى ، فمن الآن فصاعداً أعلن لنفسك بكل ثقة : " أنا أحظى بأكثر مما يكفى من الوقت " ، وغير حياتك بأكملها .

كما يمكنك أن تحول الانتظار إلى وقت فعال لصنع حياتك المستقبلية . المرة التالية التى تكون فيها فى موقف يضطرك للانتظار ، اقتنص ذلك الوقت وتخيل امتلاكك لجميع الأشياء التى تريدها . يمكنك القيام بهذا فى أى مكان ، وفى أى وقت . حول كل موقف من حياتك إلى موقف إيجابى !

لتكن عادتك اليومية أن تشكل كل حدث فى حياتك مسبقاً ، من خلال أفكارك . فلتستدعِ القوى الكونية لتعمل لصالحك فى كل شىء تقوم به وكل مكان تذهب إليه ، عن طريق التفكير فى الشكل الذى تريد أن تكون عليه *مسبقاً* ، وعلى هذا فإنك تساعد فى تشكيل حياتك قاصداً عامداً .

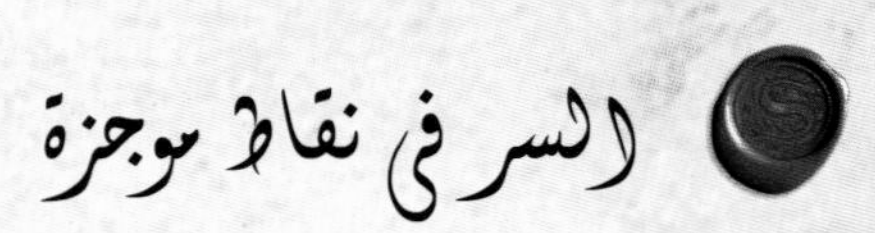

السر فى نقاط موجزة

- قانون الجذب يطيع كل أوامرنا ، تماماً مثل جنى مصباح علاء الدين .

- تساعدك خطوات العملية الإبداعية على صنع ما تريده فى ثلاث خطوات بسيطة : اطلب ، آمِن ، وتلق .

- لكى تصير واضحاً بشأن ما تريده ، عليك أن تطلب من الله أن يسخر الكون لخدمتك ، فعندما تصبح واضحاً فيما ترغبه ، فإنك بذلك تكون قد طلبت .

- يتطلب " الإيمان التصرف والتحدث والتفكير كما لو أنك قد تلقيت بالفعل ما طلبته . عندما تبث التردد الخاص بتلقيك للشىء المنشود ، فإن قانون الجذب يحرك الناس ، والأحداث ، والظروف من أجل أن تتلقى أنت ما تريد.

- يتطلب " التلقى " الشعور على النحو الذى سوف تشعر به بمجرد أن تتحقق رغبتك . الشعور الطيب الآن يضعك على التردد الخاص بما تريده .

- من أجل أن تفقد وزناً ، لا تركز على " فقدان الوزن " ، وبدلاً من ذلك ركز على وزنك المثالى . اشعر بما سوف تحسه عندما تحظى بوزنك المثالى ، وسوف تستدعيه إليك .

- لا يستلزم الأمر وقتاً بالنسبة للكون لكى يحقق ما تريده ؛ فالحصول على مليون دولار يعد بنفس سهولة الحصول على دولار واحد .

- ابدأ بشىء صغير، مثل فنجان قهوة أو مساحة لركن السيارة ؛ فهى طريقة سهلة لتجرب قانون الجذب فى الحياة الواقعية . فلتنوِ بقوة أن تجذب شيئاً صغيراً ، وعندما تجرب القدرة التى تمتلكها على الجذب ، سوف تنتقل إلى الحصول على أشياء أضخم حجماً .

- اصنع وشكل يومك مسبقاً بالتفكير فى الطريقة التى تريد بها أن تمضى الأمور ، وسوف تشكل حياتك عمداً وقصداً .

العمليات الفعالة

د. جو فيتال

الكثير من الناس يشعرون بأنهم أسرى أو ضحايا لظروفهم الحالية . ولكن مهما كانت ظروفك الحالية ، فإنها فقط واقعك الحالى ، والواقع الحالى سوف يبدأ فى التغير كنتيجة لشروعك فى استخدام "السر" .

إن واقعك الحالى أو حياتك الحالية ما هى إلا نتيجة للأفكار التى كنت قد فكرت بها . كل ذلك سوف يتغير تغيراً تامًا بمجرد أن تبدأ فى تغيير أفكارك ومشاعرك .

" أن يتمكن الإنسان من تغيير ذاته والسيطرة على مجريات حياته فما ذلك إلا نتاج كل عقل منفتح على قوة الفكر الصحيح " .

"كريستيان دى . لارسون" (١٨٦٦-١٩٥٤)

ليزا نيكولس

حين ترغب فى تغيير ظروفك المحيطة ، ينبغى عليك أولاً أن تغير من تفكيرك . فى كل مرة تنظر فيها إلى بريدك متوقعاً أن ترى فاتورة مستحقة الدفع ، خمن ماذا سيحدث ؟ ستجدها هناك . فى كل يوم تخرج مرتعباً من الفاتورة ، ولا تتوقع أبداً أى شىء عظيم . تفكر فى الديون، تتوقع الديون ، وهكذا لابد أن تظهر الديون بحيث لا تعتقد أنك مجنون، وفى كل يوم تؤكد فكرتك : هل سيكون الدين هناك ؟ نعم، هناك ديون. هل سيكون الدين هناك ؟ نعم ، هناك ديون . وهكذا تظهر الديون ؛ لأن قانون الجذب دائماً ما يطيع أفكارك . اصنع معروفاً لنفسك – توقع مالاً ودخلاً إضافياً !

إن التوقع هو قوة جذب فعالة ؛ لأنه يجذب إليك الأشياء ، وكما يقول " بوب بروكتور " : " تربط الرغبة بينك وبين الشىء المرغوب ، والتوقع يجذبه إلى حياتك " . توقع الأشياء التى تريدها ، ولا تتوقع الأشياء التى لا تريدها . فما الذى تتوقعه الآن ؟

جيمس راى

أغلب الناس ينظرون إلى حالاتهم الجارية ويقولون "هذا ما أنا عليه " ولكن هذا ليس ما أنت عليه . ذلك ما " كنت " عليه . لنقل مثلاً إنك لا تملك المال الكافى فى حسابك المصرفى ، أو إنك لا تحظى بالعلاقة التى تتمناها ، أو إن صحتك ولياقتك على غير ما تطمح . ذلك ليس أنت ، لكنه المحصلة المتبقية لأفكارك وأفعالك الماضية ، وهكذا فإننا

نعيش بصورة مستمرة فى هذه البقايا ، إذا صح القول ، من الأفكار والأفعال التى اخترنا اتخاذها فى الماضى . عندما تنظر إلى وضعيتك الراهنة وتربط نفسك بها ، فإنك تقضى على نفسك بألا تحظى بشىء أكثر من هذه الوضعية الراهنة نفسها مستقبلاً " .

" كل ما نحن فيه هو ثمرة ما فكرنا فيه " .

الفيلسوف " بوذا " (٥٦٣ق.م-٤٨٣ ق.م)

أود أن أقدم لك إحدى الطرق أو عمليات التى أخذناها عن المعلم العظيم " نيفيل جودارد " فى محاضرة ألقاها عام ١٩٥٤ ، وعنوانها " The Pruning Shears of Revision " وكان لهذه الطريقة أثر بالغ على حياتى . يوصى "نيفيل" أن تقوم فى نهاية كل يوم ، قبل أن تخلد إلى النوم ، بالتفكيرفى أحداث اليوم . إذا كان هناك أية أحداث أو لحظات لم تمض على النحو المأمول بالنسبة لك ، أعد تشغيلها فى عقلك بطريقة تشوقك وتحمسك ، وبينما تعيد صنع تلك الأحداث فى عقلك كما ترغب بالضبط ، فإنك تنقى ترددك الخاص بذلك اليوم وتبث إشارة جديدة وترددا جديداً من أجل الغد . لقد صنعت عن قصد صوراً جديدة من أجل مستقبلك . لا يفوت الأوان أبداً على تغيير الصور .

عملية الامتنان الفعالة

د. جو فيتال

ما الذى يمكنك القيام به الآن لتغيير حياتك ؟إن أول شىء قبل سواه، هو أن تبدأ بوضع قائمة من الأشياء والأمور التى تستحق امتنانك . من شأن هذا أن يحول طاقتك ويبدأ فى تحويل تفكيرك ، وبينما تكون قبل هذا التمرين قد ركزت فقط على ما لا تحظى به ، وعلى ما تشتكى منه، ومشكلاتك ، فإنه سوف يجعلك تتجه صوب اتجاه مختلف عندما تبدأ فى ممارسته . سوف تبدأ فى الشعور بالامتنان من أجل جميع الأشياء التى تحمل لك شعوراً طيباً .

" إذا كانت فكرة جديدة بالنسبة لك أن الامتنان يضع عقلك بكامله فى حقيقة تناغم مع الطاقات الإبداعية للكون ، إذن تأمل الفكرة مليًا ، وسترى أنها حقيقية " .

" والاس واتلس " (١٨٦٠-١٩١١)

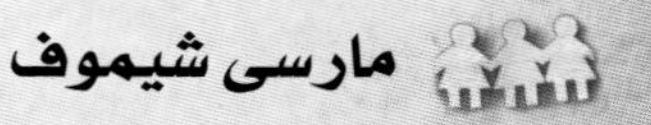

مارسى شيموف

إن الامتنان هو الطريقة المثلى لجلب المزيد من الخير إلى حياتك .

د. جون جراى
عالم نفس ، ومؤلف ، ومحاضر عالمى

كل رجل يعلم الوقت الذى تقدره فيه زوجته على الأشياء الصغيرة التى يفعلها ، فماذا يكون رده على ذلك ؟ يكون رده هو الرغبة فى فعل المزيد من الأشياء الطيبة . إن الأمر دائماً ما يتعلق بالتقدير ؛ فهو يضع الأمور فى نصابها ويجذب الدعم .

د. جون ديمارتينى

أياً كان ما نفكر فيه ونثنى عليه فإنه يتزايد .

جيمس راى

كان الامتنان تمريناً فعالاً لى . فى كل صباح أنهض وأقول "الحمد لله"، وفى كل صباح حينما تلمس قدمى أرض الغرفة أقول "الحمد لله "ثم أبدأ التفكير فى الأشياء التى تستحق الحمد ، هذا بينما أغسل أسنانى وأقوم بطقوس الصباح . ولا أكتفى فقط بالتفكير بشأنها والقيام ببعض العادات الروتينية . بل إننى أصوغ الحمد وألهج به وأستشعر فى نفسى مشاعر الامتنان .

اليوم الذى صورنا فيه مشاركة " جيمس راى " فى الفيلم وتمرينه الفعال من الامتنان كان واحداً من الأيام التى لا أنساها أبداً ؛ فمنذ ذلك اليوم فصاعداً ، انتهجت طريقة جيمس فى حياتى . فى كل صباح ، لا أخرج من الفراش حتى أكون قد شعرت بمشاعر الامتنان لهذا اليوم الجديد الرائع وكل شىء يستحق الحمد والثناء فى حياتى ، ثم حين أنهض من

الفراش، وعندما تلمس إحدى قدماى الأرض أقول " الحمد لله " ، وكذلك عندما تلمس القدم الأخرى الأرض . ومع كل خطوة أتخذها فى طريقى إلى الحمام ، أقول "الحمد لله". أستمر فى ترديد الحمد والإحساس به بينما أستحم وأستعد لليوم . وعندما أنتهى من تجهيز نفسى لخروج وقضاء روتينى اليومى أكون قد قلت " الحمد لله " مئات المرات .

عندما أقوم بذلك ، فإننى أقوم بفاعلية بإعداد وتشكيل يومى بكل ما سوف ينطوى عليه . إننى أضبط التردد الخاص بى من أجل اليوم ، وأعلن بتعمد وقصد النحو الذى أطمح ليومى أن يمضى عليه ، بدلاً من التعثر خارج السرير وترك اليوم يقودنى كيف يشاء . ليس هناك طريقة أكثر فاعلية من هذه لتبدأ يومك . إنك تمتلك زمام حياتك ، وهكذا فلتبدأ بصنع يومك قاصداً واعياً !

إن الامتنان جزء جوهرى من تعاليم جميع القادة الروحانيين العظام والرجال الصالحين على مدار التاريخ . وفى الكتاب الذى غير حياتى The Science of Getting Rich بقلم " والاس واتلس " فى ١٩١٠ ، كان الامتنان مخصصاً له أطول الفصول . وكل معلم ممن ظهروا فى فيلم " السر " يستخدمون الامتنان كجزء من يومهم ، ومعظمهم يبدأون يومهم بأفكار ومشاعر من الامتنان .

" جو شوجرمان " ، رجل رائع ورجل أعمال ناجح ، شاهد فيلم " السر " واتصل بى . وأخبرنى أن الجزء المفضل لديه كان هو الخاص بعملية الامتنان ، وأن لجوءه إلى الامتنان قد أسهم فى جميع ما أنجزه فى حياته ، ومع كل النجاح الذى جذبه إلى نفسه ، يواصل استخدام الامتنان كل يوم ، حتى حيال أصغر وأدق الأشياء . عندما يجد مكاناً لإيقاف سيارته دائماً ما يقول " الحمد لله " ويستشعرها . يعرف " جو " قوة الامتنان وكل ما يجلبه إليه ، وهكذا فإن الامتنان هو طريقته فى الحياة .

بكل ذلك الذى قرأته ، وكل الذى عايشته فى حياتى باستخدام " السر " ، أجد أن قوة الامتنان تسمو فوق كل شىء آخر . إذا كنت ستقوم بشىء واحد فقط عند اطلاعك على السر ، فلتستخدم الامتنان حتى يصير طريقتك فى الحياة .

د .جو فيتال

ما إن تبدأ فى الإحساس بشعور مختلف حيال ما لديك بالفعل ، سوف تبدأ فى جذب المزيد من الأشياء الطيبة ؛ المزيد من الأشياء التى يمكنك أن تكون ممتناً من أجلها . يمكنك أن تنظر حولك وتقول " لا أمتلك السيارة التى أريدها . لا أمتلك المنزل الذى أريده . لا أحظى بشريكة الحياة التى أريدها . لا أحظى بالصحة التى أطمح إليها " . مهلاً ! كفاك ، ودعك من هذا ! تلك هى الأشياء التى لا تريدها . ركز على ما لديك بالفعل وأنت ممتن من أجله . قد يكون ذلك أن لديك عينين لتقرأ هذا . قد يكون الملابس التى لديك . نعم ، قد تفضل شيئاً آخر وربما تحصل على شىء آخر جميل قريباً ، إذا ما بدأت تشعر بالامتنان لما تملكه بالفعل وتحظى به .

" كثير من الناس الذين ينظمون حياتهم على خير وجه فى كل المناحى الأخرى يظل الفقر يطاردهم لافتقارهم لفضيلة الحمد والامتنان " .

" والاس واتلس "

من المستحيل جلب المزيد إلى حياتك إذا كنت تشعر بعدم الامتنان حيال ما تحظى به . لماذا ؟ لأن ما تبثه من أفكار ومشاعر عند شعورك بالجحود تكون كلها عواطف سلبية .

سواء كانت الغيرة ، والنقمة ، والبطر ، أو مشاعر " عدم الاكتفاء " ، تلك المشاعر لا يمكن أن تجلب إليك ما تريد ، ليس بوسعها إلا أن ترد نحوك المزيد مما لا تريد . تلك المشاعر السلبية تعوق سبيل الخير إليك ، إذا كنت تحلم بسيارة جديدة لكنك غير ممتن للسيارة التى تمتلكها بالفعل ، فسيكون ذلك هو التردد المهيمن الذى ترسله خارجاً .

كن ممتنًا لما لديك الآن . وبينما تشرع فى التفكير بشأن كل الأمور فى حياتك التى تشعر بالامتنان حيالها ، فسوف يصيبك العجب من الأفكار اللانهائية والتى ستعود إليك بالمزيد من الأشياء التى تشعر بالامتنان حيالها . ينبغى عليك أن تضع نقطة البداية ، ومن ثم فإن قانون الجذب سوف يتلقى أفكار الامتنان تلك ويمنحك المزيد مما يشابهها تماماً . التزم فقط بتردد الامتنان وسوف تكون ملكك جميع الأشياء الطيبة " .

" إن الممارسة اليومية للامتنان هى إحدى القنوات التى ستعبر منها الثروة إليك " .

" والاس واتلس "

لى براور

مدرب ومختص فى مجال النمو ، ومؤلف ومعلم

أعتقد أن كل إنسان مر بأوقات قال فيها: "الأمور لا تمضى على ما يرام" أو "الأمور من سيئ إلى أسوأ" . فى إحدى المرات ، حين كنت أعانى من بعض المشكلات فى محيط أسرتى ، عثرت على حجر ، وجلست ممسكاً به . أخذت هذا الحجر ، ووضعته فى جيبى ،

وقلت : " كل مرة ألمس هذا الحجر سوف أفكر فى شىء أمتن حياله " ، وهكذا فى كل صباح ، ألتقط الحجر من فوق منضدة الزينة ، وأضعه فى جيبى ، وأتذكر الأمور التى تجعلنى ممتناً . فى المساء ، ماذا أفعل ؟ أفرغ جيبى ، وأعيد الكرة من جديد .

وقد كان لي بعض التجارب المدهشة والعجيبة مع هذه الفكرة ؛ ففى أحد المرات رآنى رجل من جنوب إفريقيا أمسك بالحجر . سألنى "ما هذا ؟" فشرحت له الأمر ، وبدأ يدعوه بـ "حجر الامتنان" . بعد ذلك بأسبوعين وصلتنى رسالة إلكترونية منه ، من جنوب إفريقيا . وكان يقول فيها : "ابنى يحتضر من مرض نادر ، إنه نوع من الالتهاب الكبدى . هلا أرسلت لى ثلاثة من أحجار الامتنان ؟ " . كانت مجرد أحجار عادية مما نجدها فى الشارع ، فقلت له "بالطبع " . وكان علىَّ أن أتأكد أن الأحجار كانت مميزة ، وهكذا خرجت إلى مجرى النهر ، والتقطت الأحجار المناسبة ، وأرسلتها إليه .

بعدها بأربعة أو خمسة شهور وصلتنى رسالة إلكترونية منه قال فيها : "تحسنت حالة ابنى ، إنه يبلى بلاء رائعاً ، ولكن يجب أن تعرف أمراً ما . لقد بعنا أكثر من ألف حجر بسعر عشرة دولارات للحجر الواحد كأحجار امتنان ، وتبرعنا بكل هذا المال للأعمال الخيرية . شكراً لك جزيل الشكر".

وهكذا فمن المهم للغاية امتلاك " توجه الامتنان " .

لقد غير العالم العظيم " ألبرت أينشتاين " بشكل ثورى من طريقة نظرنا لكل من الزمن ، والمكان ، والجاذبية الأرضية . ومن خلفيته الفقيرة وبداياته المتواضعة

كنت تظن أنه من المستحيل بالنسبة له أن ينجز كل ذلك الذى أنجزه . كان " أينشتاين " مطلعاً على قدر كبير من " السر " ، وقد كان يقول : " الحمد لله " مئات المرات كل يوم . لقد قدم الشكر والامتنان لكل العلماء العظماء الذين سبقوه بإسهاماتهم، والتى لولاها ما كان له أن يتعلم وينجز المزيد من عمله ، وأن يصير فى النهاية واحداً من أعظم العلماء الذين مروا بالتاريخ .

قد تكون أكثر استخدامات الامتنان قوة وفعالية هى تلك المتضمنة العملية الإبداعية التى تستخدمها للحصول بسرعة على ما تريد . وكما نصح " بوب بروكتور " فى الخطوة الأولى للعملية الإبداعية ، " اطلب " ، فلتبدأ بكتابة ما تريده . ابدأ كل جملة بالكمات التالية : " إننى سعيد جدًا وممتن الآن لأن ... " (وأكمل بقية الجملة) .

عندما يصدر منك الثناء والحمد كما لو أنك قد تلقيت ما تريد ، فإنك تبث إشارة قوية للكون . تقول تلك الإشارة بأنك تحظى بالفعل بما تنشد لأنك تشعر بالامتنان له الآن . كل صباح قبل أن تخرج من الفراش ، لتكن عادتك أن تحس بمشاعر الامتنان *سلفًا* لليوم العظيم الذى تستقبله ، كما لو أنه قد انتهى .

من اللحظة التى اكتشفت فيها " السر " وكونت الرؤية التى سوف أقدم بها هذه المعرفة مع العالم ، كنت أشكر الله كل يوم على فكرة إنتاج فيلم " السر " الذى سوف يبث البهجة فى نفوس الناس بالعالم كله . لم يكن لدى أى فكرة كيف سنضع تلك المعرفة على الشاشة، ولكننا وثقنا بأننا سنجذب إلينا الكيفية والطريقة . بقيت فى حالة تركيز وتشبث بالنتيجة النهائية . شعرت بمشاعر عميقة من الامتنان مسبقاً ، وحين صار ذلك هو حالة وجودى ، انفتحت كل السبل وتدفق السحر إلى حياتنا . بالنسبة لفريق عمل فيلم "السر"، الرائع ، وبالنسبة لى ، فإن أصدق وأعمق مشاعر الامتنان تتواصل حتى اليوم .لقد صرنا فريقاً يردد ويلهج بالامتنان فى كل لحظة ، وصارت هذه هى طريقتنا فى الحياة .

عملية التخيل الفعالة

التخيل هو عملية لقنها جميع المعلمين الكبار والرجال العظماء عبر القرون ، بالإضافة إلى جميع المعلمين الكبار الذين يعيشون فى يومنا هذا . فى كتاب " تشارلز هانيل " بعنوان The Master Key System **، المكتوب فى ١٩١٢ ، (يتم عرض ٢٤ تمريناً أسبوعيًا لإتقان التخيل . (الأكثر أهمية ، أن كتابه كاملاً سوف يساعدك على أن تصير سيد أفكارك)**

إن سبب قوة وفاعلية التخيل تعود إلى أنك عندما تصنع صوراً فى عقلك من تخيل نفسك تمتلك ما تريد ، فإنك تقوم بتوليد الأفكار والمشاعر الخاصة بامتلاك ما تريده فى التو واللحظة . وما التخيل إلا فكرة مركزة بقوة فى شكل صور ، وتسبب مشاعر متساوية فى القوة . عندما تقوم بالتخيل ، فإنك تبث ذلك التردد الفعال خارجًا إلى الكون . سوف يمسك قانون الجذب بتلك الإشارة القوية ويعيد تلك الصور من جديد إليك ، بالضبط كما رأيتها فى عقلك .

د . دينيس ويتلى

لقد أخذت عملية التخيل عن برنامج " أبولو " ، وأدرجته خلال الثمانينات والتسعينات فى برنامج الرياضيات الأولمبية ، وكان يسمى التدريب الحركى .

عندما تقوم بالتخيل ، فإنك تجسد الشىء المجرد ، واليك أمراً مثيراً

للاهتمام بشأن العقل : لقد أخذنا الأبطال الأولمبيين وجعلناهم يتدربون على أدوارهم وألعابهم فى عقولهم فقط ، وعندئذ قمنا بتوصيلهم بجهاز معقد خاص بالتغذية الحيوية المرتدة ، والشيء المذهل هو أن عضلاتهم راحت تعمل بالترتيب نفسه عندما كانوا يخوضون السباقات فى عقولهم كما كانوا يركضون فى المضمار . كيف يمكن هذا ؟ ذلك لأن العقل لا يمكنه أن يميز ما إذا كان يقوم بذلك حقًّا أم أنه مجرد تدريب . إذا ذهبت إلى مكان بعقلك فسوف تكون هناك بجسمك .

فكر فى المخترعين ومخترعاتهم : الأخوان " رايت " والطائرة . " جورج إيستمان " وفيلم التصوير . " إديسون " والمصباح الكهربائى . " ألكسندر جراهام بل " والهاتف . إن السبب الوحيد وراء أى ابتكار أو اكتشاف هو أن شخصًا ما رأى صورة فى عقله . رآها بكل وضوح ، وعن طريق التشبث بهذه الصورة فى نتيجتها النهائية فى عقله ، فإن كل قوى الكون حملت ابتكاره إلى العالم ، وجسدته من *خلاله* .

هؤلاء الرجال عرفوا " السر " . هؤلاء كانوا رجالاً ذوى إيمان مطلق فى غير المرئى ، وعرفوا القوة التى بداخلهم ، والقدرة على تغيير العالم وكيفية جعل الابتكار مرئيًا فى حيز الوجود . كان خيالهم وإيمانهم هما السبب لتطور الإنسانية ، ونحن نجنى ثمار عقولهم المبدعة كل يوم .

قد تفكر قائلاً : " ليس عقلى مثل عقول هؤلاء المخترعين العظام " ، أو لعلك تفكر قائلاً : " *إنهم* يستطيعون تخيل تلك الأشياء ، أما أنا فلا أستطيع " . هذه أبعد نقطة ممكنة عن الحقيقة ، وبينما تواصل التعرف على هذا الاكتشاف العظيم لمعرفة " السر " ، سوف تتعلم أنك لست فقط تمتلك عقلاً كعقولهم ، بل عقلاً أفضل بكثير .

مايك دولى

عندما تقوم بالتخيل ، عندما تدور تلك الصورة فى عقلك ، اهتم وركز دائماً على النتيجة النهائية وحسب .

إليك مثالاً ، انظر إلى ظاهر يديك ، الآن . انظر بتمعن إلى ظاهر يديك : لون جلدك ، الخطوط الصغيرة ، الأوعية الدموية ، الخواتم والأظافر . احتفظ بكل تلك التفاصيل . والآن قبل أن تغلق عينيك ، انظر ليديك ، لأصابعك ، وهى ممسكة بعجلة قيادة سيارتك الجديدة الفارهة .

د. جو فيتال

إنها تجربة أقرب ما تكون إلى الحقيقة - بل إنها حقيقية للغاية فى هذه اللحظة - لدرجة أنك قد تشعر بعدم احتياجك للسيارة لأنك تشعر أنك قد امتلكتها بالفعل .

تلخص كلمات د. فيتال ببراعة الموضع الذى تريد أن تأخذ نفسك إليه عندما تقوم بالتخيل . عندما تشعر بارتجاج عندما تفتح عينيك فى العالم المادى ، يصير تخيلك هذا حقيقيًا . لكن تلك الحالة تمثل ذلك المستوى من الوعى الحقيقى . إنه المجال الذى يتم فيه ابتكار كل شىء ، وما العالم المادى إلا *نتيجة* للمجال *الحقيقى* لكل عملية الابتكار . ولهذا فلن تشعر وكأنك بحاجة لأى مزيد ؛ لأنك توافقت مع المجال الحقيقى للابتكار عبر عملية التخيل . فى هذا المجال أنت تمتلك كل شىء . عندما تشعر بذلك ، ستدرك الأمر .

جاك كانفيلد

إن الشعور هو الذى يخلق إلىّ الجذب ، وليس فقط الصورة أو الفكرة. كثير من الناس يقولون عبارات من قبيل : "إذا ما فكرت أفكاراً إيجابية، أو إذا قمت بتخيل ما أنشده ، سيكون هذا كافياً". ولكن إذا قمت بذلك ومازلت لا تمتلك شعور الوفرة والرخاء ، أو الحب والسعادة ، فلن تكون هناك قوة الجذب .

بوب دويل

إنك تضع نفسك فى حالة الشعور بوجودك الحقيقى فى تلك السيارة . ليس الأمر أن تقول : "أتمنى لو أننى حصلت على تلك السيارة ولا أن تقول : "فى يوم ما سأمتلك تلك السيارة"؛لأن تلك العبارات تنطوى على شعور محدد لا يتعلق باللحظة الحاضرة ، وإنما يتعلق بالمستقبل ، وإذا لازمك ذلك الشعور ، فسيظل الأمر دائماً مؤجلاً للمستقبل .

مايكل بيرنارد بيكويث

والآن سوف يصير ذلك الشعور وتلك الرؤية الداخلية مجازاً مفتوحاً من خلاله سوف تعرب قوة الكون عن نفسها .

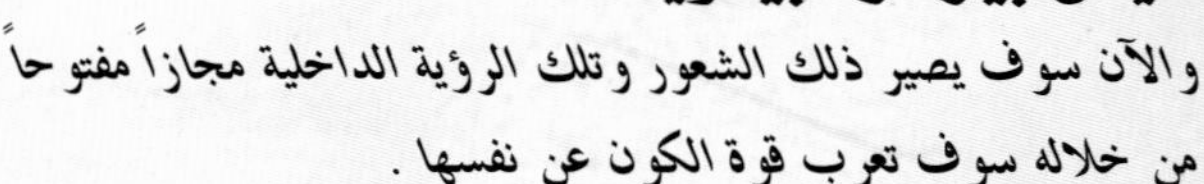

"أما عن ماهية هذه القوة فهذا ما لا أدركه . كل ما أعرفه أنها موجودة ".

" ألكسندر جراهام بل " (١٨٤٧-١٩٢٢)

جاك كانفيلد

إن مهمتنا ليست أن نكشف الطريقة ؛ فالطريقة تأتى من الالتزام والإيمان بالأمر نفسه .

مايك دولى

" الكيفيات " هى مملكة الكون نفسه . الكون الذى يعلم دوما أقصر الطرق وأسرعها وأنجحها وأكثرها تناغماً ، بينك وبين حلمك .

د. جو فيتال

إذا حولت الأمر إلى الكون ، سوف تدهش وتنبهر بما يرسله إليك . وهذا هو مكمن السحر و العجائب .

إن جميع معلمى " السر " مدركون للعناصر التي يستعين بها المرء حين يقوم بالتخيل ، فعندما ترى الصورة فى عقلك وتشعر بها ، فإنك تأخذ نفسك إلى موضع التصديق بأنك تحظى بذلك الشئ الآن . كما أنك فى ذات الوقت تطبق الثقة والإيمان بالله ؛ ذلك لأنك تركز على النتيجة النهائية وتعايش الشعور بهذا ، دون أن تولى أدنى اهتمام بالطريقة أو الكيفية أيًا كانت ؛ فالصورة التى تراها فى عقلك هى رؤية الشىء باعتباره أمراً مقضيًا. ومشاعرك تحس بالصورة باعتبارها أمر منتهيًا . إن عقلك وحالتك بكاملها ترى الصورة كما لو أنها قد جرت بالفعل مسبقاً . ذلك هو فن التخيل .

د. جو فيتال

إنك تريد القيام بهذا يومياً فى حقيقة الأمر ، لكن يجب ألا يتحول إلى أحد الواجبات الثقيلة . الأمر المهم حقًا فيما يتعلق بـ " السر " هو أن تشعر شعوراً طيباً . ينبغى أن تشعر بالحماس والإثارة خلال هذه العملية بأسرها . ينبغى أن تكون مبتهجاً ، وسعيداً ، ومتناغماً ، بأكبر قدر ممكن .

لدى كل شخص القدرة على التخيل . دعنى أثبت لك ذلك بصورة مطبخ . لكى يأتى هذا بنتيجة ، قبل كل شىء عليك أن تتخلى عن جميع الأفكار الخاصة بمطبخك وتخلى عقلك منها . لا تفكر فى مطبخك . نظف عقلك تماماً من صور مطبخك ، بخزائنه ، بثلاجته ، بفرنه ، ببلاطه ، بلون جدرانه ...

لقد رأيت صورة لمطبخك فى عقلك ، أليس كذلك ؟ حسناً ، لقد قمت بالتخيل لتوك !

" كل شخص يمارس التخيل سواء عرف هذا أم لا . التخيل هو السر العظيم للنجاح ".

" جنيفيف بهرند " (١٨٨١-١٩٦٠)

إليك نصيحة تتعلق بالتخيل ، والتى يقدمها د. " جون ديمارتينى " فى منتدياته التى يطلق عليها Breakthrough Experience . يقول " جون " إنك إذا تخيلت صورة ثابتة فى عقلك يكون من العسير عليه الاحتفاظ بتلك الصورة ، وعلى هذا فلتضف الكثير من الحركة على صورتك .

لتوضيح هذا ، تخيل مطبخك من جديد ، وهذه المرة تخيل نفسك تدخل المطبخ وتتجه إلى الثلاجة وتضع يدك على مقبض الباب وتفتح الباب وتنظر للداخل ، وتجد زجاجة ماء بارد . فتمد يدك وتتناولها . يمكنك أن تشعر بالبرودة على يدك وأنت ممسك بالزجاجة . الآن لديك الزجاجة فى يد ، وتستخدم يدك الأخرى لتغلق باب الثلاجة . الآن أنت تتخيل مطبخك بالتفاصيل والحركة ، أليس الآن من الأسهل رؤية الصورة والاحتفاظ بها ؟

" جميعنا نمتلك من القوة والإمكانات ما هو أعظم شأنًا مما ندرك ، والتخيل هو إحدى أعظم تلك القدرات " .

" جنيفيف بهرند "

العمليات الفعالة فى حيز التنفيذ

مارسى شيموف

الفرق الوحيد بين الأشخاص الذين يعيشون على هذا النحو ، الذين يعيشون فى سحر الحياة ، وهؤلاء الذين حرموا من ذلك ، هو أن من يعيشون سحر الحياة قد اكتسبوا عادات معينة وطرقاً محددة للوجود. لقد اكتسبوا عادة استخدام قانون الجذب ، وتقع لهم أشياء تشبه السحر حيثما حلوا ؛ لأنهم يتذكرون استخدامه ، ويستخدمونه طوال الوقت ، وليس فقط لمرة واحدة .

إليك قصتين تستعرضان بكل وضوح قانون الجذب الفعال ، والنسيج المحبوك الذى لا تشوبه شائبة للكون فى حالة العمل .

القصة الأولى عن امرأة اسمها " جينى " ، اشترت أسطوانة عليها فيلم " السر " وكانت تشاهده على الأقل مرة يوميًا بحيث تستوعب الرسالة تمامًا حتى النخاع . وقد تأثرت على وجه الخصوص بـ " بوب بروكتور " ، ورأت أنه سيكون من الرائع أن تلتقى به .

ذات صباح ، جمعت " جينى " بريدها ، ولدهشتها البالغة كان ساعى البريد قد أوصل رسالة إلى " بوب بروكتور " على عنوانها هى . وما لم تكن " جينى " تعرفه هو أن "بوب

بروكتور " يقيم على مبعدة أربعة مبان منها ! ليس هذا فقط ، لكن رقم منزل " جينى " كان نفس رقم منزله . وفى الحال أخذت البريد لتوصله إلى العنوان الصحيح . هل لك أن تتخيل فرحتها المطلقة عندما فتح الباب ووجدت " بوب بروكتور " واقفاً أمامها ؟ نادراً ما كان "بوب" يمكث بالمنزل نظراً لسفره فى جميع أنحاء العالم للتدريس . لكن نسيج الكون له توقيت دقيق للغاية . وانطلاقاً من فكرة " جينى " حول مدى روعة أن تلتقى ببوب بروكتور ، قام قانون الجذب بتحريك الأشخاص ، والظروف ، والأحداث عبر الكون بحيث يحدث هذا .

القصة الثانية عن صبى فى العاشرة من عمره اسمه " كولين " ، الذى شاهد فيلم *"السر"* وعشقه . قامت أسرة " كولين " بزيارة لمدة أسبوع إلى مدينة " ديزنى " الترفيهية ، وخلال يومهم الأول تعرضوا للوقوف فى طوابير طويلة فى الحديقة وهكذا فى تلك الليلة ، وقبيل خلود " كولين " للنوم ، فكر قائلاً فى نفسه : " غدًا كم أحب أن أركب جميع الألعاب دون أن أضطر للوقوف منتظراً فى طوابير على الإطلاق " .

فى الصباح التالى كان "كولين" وأسرته على أبواب مركز "إبكوت" فيما كانت الحديقة تفتح أبوابها، واقترب منهم عضو من فريق عمل " ديزنى " وسألهم ما إذا كانوا يوافقون أن يكونوا الأسرة الأولى فى مركز " إبكوت " لهذا اليوم . وبحصولهم على لقب " الأسرة الأولى " سيتم التعامل معهم كأشخاص مهمين جدًا ، ويلقون عناية خاصة من عضو فريق العمل هذا ، ويتجاوزون الانتظار والطوابير من أجل كل لعبة كبيرة فى " إبكوت " . كان هذا أكثر مما تمناه " كولين " !

كانت هناك مئات من الأسر تنتظر لتدخل إلى " إبكوت " ذلك الصباح ، غير أن " كولين " لم يكن لديه أدنى شك فى سبب اختيار أسرته لتكون " الأسرة الأولى " . كان يعلم ذلك لأنه قد استعان بـ " السر " .

تخيل اكتشاف طفل - فى سن العاشرة - أن القوة التى تحرك العالم كامنة بداخله ! " .

" لا شىء يمكنه أن يمنع صورتك من أن تتحول لشىء ملموس عدا القوة نفسها التى وهبتها الحياة - التى هى أنت " .

" جينفيف بهرند "

جيمس راى

يتشبث الناس بهذا الأمر لفترة ؛ حيث يقول أحدهم : "إننى مشتعل بالحماس ، لقد رأيت هذا البرنامج ولسوف أغير حياتى " . ومع ذلك لا تظهر النتائج . تحت السطح يكون الأمر على وشك أن يتحقق ، لكن الشخص سوف يكتفى بالنظر إلى النتائج السطحية ويقول : "هذا الأمر لا يأت بنتيجة "أو تعلم ما الذى يحدث ؟ يقول الكون : "أوامرك مطاعة "ويختفى هذا الشىء .

عندما تسمح لفكرة من الشك أن تدخل إلى عقلك ، فإن قانون الجذب سرعان ما سيراكم عليك فكرة شك أو ريبة بعد الأخرى . لذلك ، ما إن تراودك فكرة شك أو ريبة ، تخل عنها فوراً ، وابتعد عنها تماماً وضع مكانها عبارة : " أعرف أننى أتلقى الآن " ، واشعُر بذلك .

جون أساراف

بعد معرفة قانون الجذب ، أردت أن أضعه حقاً موضع الاستخدام وأن أرى ماذا سيحدث . فى عام ١٩٩٥ بدأت أصنع شيئاً اسمه لوحة الأحلام حيث آخذ شيئاً أريد أن أنجزه ، أو شيئاً أريد أن أجذبه ، مثل

سيارة أو ساعة يد أو شريك الحياة المنتظر ، وأضع صورة لما أريده على تلك اللوحة . كل يوم كنت أجلس فى مكتبى وأنظر إلى هذه اللوحة وأبدأ فى التخيل . وكنت بالفعل أعيش حالة أننى امتلكت فعلياً ما أنشده .

كنت أستعد للانتقال إلى مسكن آخر . وضعنا جميع الأثاث ، وجميع الصناديق فى مخزن ، وغيرت سكنى ثلاث مرات مختلفة خلال فترة خمسة أعوام ، ثم انتهى بى المطاف فى كاليفورنيا واشتريت هذا المنزل، واستغرقت فى تجديده عاماً كاملاً ، ثم أحضرت كل أشيائى من منزلى السابق الذى كان لى قبل خمسة أعوام ، وذات صباح أتى إلى مكتبى ابنى " كينان " ، وأخذ الصناديق التى كانت محكمة الإغلاق لمدة خمسة أعوام كان موضوعاً على عتبة الباب . سألنى : " ماذا فى الصناديق يا أبى ؟ " ، "فقلت : "إنها لوحات الأحلام الخاصة بى "، وعندئذ سأل: "وما هى لوحات الأحلام ؟ " فقلت : " حسناً ، إنها المكان الذى أضع عليه جميع أهدافى . أقص الصور ثم أضع كل أهدافى عليه كشىء أريد إنجازه فى حياتى "وبالطبع فى عمر الخامسة والنصف لم يفهم فقلت: "عزيزى، دعنى أشرح لك ، ستكون هذه هى الطريقة الأسهل ".

فتحت الصندوق ، وعلى إحدى اللوحات وجدت صورة منزل كنت أتخيله قبل خمسة أعوام . ما كان صدمة بالنسبة لى أننا نعيش فى ذلك المنزل ، وليس فى منزل شبيه له – لقد اشتريت فعلياً منزل أحلامى ، وقمت بتجديده ، ولم أعلم بذلك حتى . نظرت نحو ذلك المنزل وشرعت أبكى، سألنى كينان : " ماذا يبكيك ؟ " ، " أخيراً

فهمت كيف يعمل قانون الجذب . إننى أخيرًا أفهم قوة التخيل . إننى أخيراً أفهم كل شىء كنت قد رأيته ، كل شىء عملت عليه طوال حياتى ، والطريقة التى أسست بها الشركات ، لقد أتت بنفع مع منزلى كذلك ، واشتريت منزل أحلامنا دون أن ألحظ ".

" الخيال هو كل شىء . إنه الرؤية المسبقة لما سوف تجذبه الحياة وتأتى به " .

ألبرت أينشتاين (١٨٧٩-١٩٥٥)

يمكنك أن تطلق العنان لخيالك مع لوحة الأحلام . ضع عليها صوراً لكل الأشياء التى تريدها ، وصوراً للهيئة التى تريد لحياتك أن تكون عليها . وتأكد من أن تضعها فى مكان تسهل عليك رؤيتها فيه كل يوم ، كما فعل " جون أساراف " . *استشعر* مشاعر امتلاك تلك الأشياء الآن . وعندما تتلقى ، وتشعر بالامتنان لما تلقيته ، يمكنك أن تحذف صوراً وتضع صوراً جديدة . هذه طريقة رائعة لكى تُعرِف الأطفال على قانون الجذب ، وأتمنى أن يلهم صنع لوحة الأحلام الآباء والأمهات والمعلمين فى أرجاء العالم .

أحد الأشخاص على منتدى موقع " السر " على شبكة المعلومات وضع صورة لأسطوانة فيلم السر على لوحة أحلامه . كان قد رأى " السر " ولكن لم يكن لديه نسخة ملكه . بعد مرور يومين من صنعه لوحة الأحلام الخاصة به ، ألهمنى ما فعله أن أكتب إخطاراً فى منتدى " السر " بإهداء أسطوانات لأول عشرة أشخاص يكتبون للمنتدى . وكان هو أحد هؤلاء العشرة ! تلقى نسخة من أسطوانة " السر " خلال يومين من وضعها كهدف على سبورة أحلامه . وسواء كان الأمر يتعلق بتمنى الحصول على " السر " أو امتلاك منزل ، فإن بهجة الإبداع والتلقى لا مثيل لها !

مثال قوى آخر للتخيل يأتى من تجربة أمى فى شراء منزل جديد . قدم أشخاص عديدون إلى جانب أمى عروضهم لشراء هذا المنزل على التحديد . قررت أمى أن تستخدم " السر" لتجعل المنزل ملكها هى . جلست وكتبت اسمها والعنوان الجديد للمنزل مراراً وتكراراً . واصلت القيام بهذا حتى شعرت وكأنه عنوانها ، ثم تخيلت وضع جميع الأثاث فى ذلك المنزل الجديد . وفى غضون ساعات من القيام بتلك الأمور ، تلقت مكالمة هاتفية تقول إن عرضها قد قُبِل . كانت فى غاية الفرح والحماس ، لكن لم يفاجئها الأمر لأنها *علمت* أن المنزل ملكها هى . يا لها من بطلة !

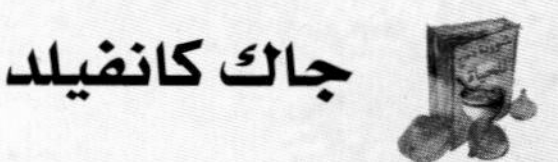

جاك كانفيلد

قرر الشىء الذى تريد . آمِن بأن بوسعك أن تحظى به . آمِن بأنك تستحقه وصدق أنه ممكن بالنسبة لك . ثم أغلق عينيك كل يوم لدقائق معدودة ، وتخيل امتلاكك ما تريده بالفعل ، استشعر أحاسيس امتلاكك له بالفعل . عندما تنتهى من ذلك اجعل تركيزك على ما تشعر بالامتنان له بالفعل ، استمتع به حقًّا . ثم امض فى يومك ودع الأمر للخالق وثق فى أن الأمر سيتحقق لك .

السر في نقاط موجزة

- التوقع قوة جذب فعالة . توقع الأمور التى تريدها ، ولا تتوقع ما لا تريد .

- الامتنان عملية فعالة من أجل تحويل طاقتك وجلب المزيد مما تريد فى حياتك . كن ممتناً من أجل ما لديك بالفعل ، ولسوف تجذب إليك المزيد من الأمور الطيبة .

- قدم الحمد لله لما سوف يمنحك ؛ مما يشحن رغبتك ويرسل إشارة أكثر قوة إلى الكون .

- التخيل عملية خلق الصور فى عقلك ترى فيها نفسك وأنت تستمتع بما تريد. عندما تتخيل ، فإنك تولد أفكاراً ومشاعر قوية لامتلاك الشىء فى التو واللحظة ، وعندئذ يعود قانون الجذب بذلك الواقع إليك ، تماما كما رأيته فى عقلك .

- لكى تستخدم قانون الجذب لصالحك ، اتخذ من ممارسته عادة ، وليس مجرد شىء يحدث مرة واحدة .

- عند نهاية كل يوم ، قبل أن تخلد إلى النوم ، استرجع أحداث اليوم ، أية أحداث أو لحظات لم تكن على ما يرام ، استبدل بها فى عقلك ما يروق لك .

سر المال

" أيًّا كان الشيء الذى يمكن للعقل أن يتصوره ، فمن الممكن تحقيقه . "

دبليو كلمنت ستون (١٩٠٢-٢٠٠٢)

جاك كانفيلد

كان "السر "تحولا حقيقيا بالنسبة لي ، لأنني قد نشأت فى كنف أب سلبى للغاية كان يرى أن الأغنياء هم أشخاص قد خدعوا الجميع و سلبوهم مالهم ، ويرى أن أى شخص لديه مال لابد وأنه قد خدع شخصاً ما ، وهكذا نشأت و شببت بكثير من المعتقدات حول المال ؛ منها أنك إذا امتلكته فإنه يجعلك شريراً وسيئاً ، والأشرار فقط هم من يملكون المال ، وأن المال لا ينمو على الأشجار . "من تظننى ؟ رو كفللر (أحد أقطاب صناعة البترول) ؟ "تلك كانت إحدى عباراته المفضلة ، وهكذا كبرت معتقداً حقًّا أن الحياة شاقة ، ولم تتحول دفة حياتى إلا عندما التقيت "دبليو كلمنت ستون " .

عندما كنت أعمل مع "ستون"، قال: "أريد منك أن تضع هدفاً يكون من الضخامة بحيث إنك إذا حققته سوف يعصف بعقلك، وسوف تعلم أنك بسبب ما علمته لك فقط سوف تحقق ذلك الهدف". في هذا الوقت كنت أجني حوالى ثمانية آلاف دولار كل عام، وهكذا قلت "أريد أن أجني مائة ألف دولار سنوياً". وقتها لم يكن لدى أى فكرة عن كيفية القيام بذلك، لم أر أية وسيلة ولا إمكانية، ولكننى قلت وحسب "سأجاهر بذلك، سأصدق الأمر، وسأتصرف كما لو أنه حقيقة، وأترك الأمر للخالق"، وهكذا فعلت.

أحد الأشياء التى علمها لى هو أن أغلق عينى كل يوم وأتصور أهدافى كما لو أنها تحققت. ولقد كتبت فعلاً فاتورة بمائة ألف دولار ألصقتها بالسقف، وهكذا كان أول شىء أفعله فى الصباح هو أن أتطلع إليها وأراها هناك، فتذكرنى بأن هذه هى نيتى. ومن ثم أغلق عينى وأتصور نمط الحياة المناسب لهذا الدخل. ومن المثير للاهتمام للغاية أنه ما من شىء ذى شأن قد جرى لمدة ثلاثين يومًا. لم تخطر لي أية أفكار خارقة ولم يعرض علىّ أحد المزيد من المال.

بعد نحو أربعة أسابيع من ذلك، واتتنى فكرة تساوى مائة ألف دولار. قفزت إلى رأسى فجأة هكذا. كان لدى كتاب قد ألفته، وقلت: "لو أننى أستطيع بيع ٤٠٠ ألف نسخة من كتابى بربع دولار فقط للنسخة الواحدة، سيكون مجموعها مائة ألف دولار"، والآن، الكتاب كان هناك، لكن أبداً لم تخطر لى تلك الفكرة. (أحد "الأسرار" هو أنه عندما تكون لديك فكرة ملهمة، عليك أن تثق فيها وتعمل بناء عليها) لم أكن أعرف كيف سأبيع ٤٠٠ ألف نسخة. ثم رأيت صحيفة

" ناشيونال إنكوايرار " | فى السوبر ماركت . لقد رأيتها ملايين المرات. لم أكن ألحظها ، وفجأة ظهرت أمام ناظرى ، ففكرت قائلاً : " إذا علم القراء بشأن كتابى ، فبالطبع سيذهب لشرائه مئات الآلاف من الأشخاص ".

بعدها بنحو ستة أسابيع ألقيت محاضرة صغيرة فى كلية " هانتر " فى نيويورك على ستمائة معلم ، وبعدها اقتربت منى امرأة وقالت " كانت تلك محاضرة رائعة . أريد أن أسجل حواراً صحافياً معك . دعنى أُعْطِيكَ بطاقتى "، واتضح أنها كاتبة صحافية حرة تبيع أعمالها لصحيفة الناشيونال إنكوايرار ، وقلت لنفسى وقلبى يدق بشدة : " يا إلهى إن الأمر يجدى حقًّا . ونشر الحوار فى الجريدة وانطلقت مبيعات الكتاب إلى عنان السماء .

النقطة التى أريد توضيحها هى أننى كنت أجذب إلى حياتى جميع تلك الأحداث المختلفة، بما فى ذلك هذه المرأة، ولكى نجمل القصة بإيجاز، فإننى لم أجن مائة ألف دولار فى ذلك العام، بل ربحنا اثنين وتسعين ألفاً وثلاثمائةوسبعةوعشرين دولاراً. لكن أتظن أن ذلك أحبطناوجعلنانقول: "لا جدوى من هذا؟" كلا، كنا نقول: "هذا مدهش !" وهكذا قالت لى زوجتى: "إذا أتى هذا بنتيجة مع مائة ألف دولار فماذا عن المليون؟" فقلت: " لا أدرى ، أظن أنه سيجدى؛ فلنجرب ".

وقع لى ناشرى شيكاً بحصتى فى المكسب لأول كتاب فى سلسلة " شوربة الدجاج للروح " وقد رسم وجهاً باسماً صغيراً فى توقيعه؛ لأنه كان أول شيك يكتبه بمليون دولار .

وهكذا ، فإننى أعلم أن هذا النجاح من تجربتى الخاصة ؛ لأننى أردت اختبار الأمر . هل هذا السر يجدى نفعاً حقًّا ؟ وضعناه محل الاختبار ، وقد أتى بنفع لأقصى حد ، والآن أعيش حياتى من هذا المنطلق يوماً.

إن الاطلاع على " السر " والاستخدام المقصود لقانون الجذب يمكن تطبيقه على كل شئون حياتك . إنك تستخدم نفس العملية لكل شىء تريد أن تصنعه ، وموضوع المال لا يختلف عن سائر الموضوعات .

لكى تجذب المال ، ينبغى عليك أن تركز على الثروة . من المستحيل أن تجذب المزيد من المال لحياتك عندما تلاحظ أنك لا تملك ما يكفى ؛ لأن هذا يعنى أنك تحظى بأفكار مفادها أنك لا تمتلك ما يكفى ، وعندما تركز على حقيقة أنك لا تمتلك ما يكفى من المال ، سوف تصنع المزيد من الظروف التى تؤدى لعدم امتلاكك ما يكفى من المال . لابد أن تركز على الوفرة ، وفرة المال لكى تجلب ذلك إليك .

لابد أن تبث إشارة جديدة لأفكارك ، وينبغى أن تكون تلك الأفكار مفادها أنك حاليًا لديك أكثر مما يكفى . إنك حقًا بحاجة لاستدعاء خيالك وإعماله للتظاهر بأنك بالفعل لديك ما تريده من المال . وهو شىء ممتع للغاية فى القيام به ! وإذ تتظاهر بهذا وتتلاعب بفكرة امتلاك الثروة سوف تلاحظ أنك تشعر بمشاعر أطيب حيال المال ، وإذ يتحسن شعورك حيال هذا ، سوف يبدأ فى التدفق إلى حياتك .

ألهمت قصة " جاك " الرائعة فريق عمل " السر " لصنع شيك على بياض متاح ويمكن تحميله مجاناً من موقع " السر " . الشيك الأبيض هذا من أجلك ، وهو من بنك الكون . اكتب اسمك ، والمبلغ الذى تريده ، والتفاصيل ، وضعه فى مكان بارز بحيث يمكن رؤيته يوميًا . وعندما تنظر إلى الشيك ، استشعر امتلاك ذلك المبلغ من المال الآن . تخيل إنفاق

ذلك المال ، كل الأشياء التى ستشتريها والأشياء التى ستقوم بها . استشعر مدى روعة الأمر ! واعلم أنه ملكك . لقد تلقينا مئات من القصص لأشخاص جنوا مبالغ هائلة من المال باستخدام شيك " السر " . إنها لعبة ممتعة مضمونة النتائج !

اجذب الوفرة

السبب الوحيد الذى يحول بين أى شخص وامتلاكه ما يكفى من المال هو أنه *يعيقه* عن الوصول إليه بأفكاره . كل ما يتصف بالسلبية من الأفكار أو المشاعر أو الانفعالات يمنع الخير من الوصول إليك ؛ وذلك يتضمن المال ، ليس الأمر أن المال حجزه الكون عن الوصول إليك ؛ لأن كل المال الذى تطلبه يوجد الآن فى الغيب . إذا لم يكن لديك ما يكفى ، فذلك لأنك تمنع تدفق المال إليك ، وتقوم بذلك بأفكارك . لابد أن تضبط توازن أفكارك من نقص المال إلى امتلاك ما هو أكثر مما يكفى من المال . اجعل كل أفكارك تدور حول الوفرة وليس الافتقار ، وهكذا تعدل كفة الميزان .

عندما تكون *بحاجة* للمال ؛ فإن ذلك يخلق شعوراً قوياً بداخلك ، وهكذا بالطبع عبر قانون الجذب ستستمر فى جذب *احتياج* المال إليك .

أستطيع أن أتحدث فى مسألة المال من واقع خبرتى ؛ لأنه قبيل اكتشافى لـ " السر " أخبرنى محاسبى أن شركتى قد تعرضت لخسارة كبرى فى ذلك العام ، وفى غضون ثلاثة شهور ستكون فى ذمة التاريخ . بعد عشر سنوات من العمل الشاق ، كانت شركتى على وشك أن تتسرب من بين أصابعى ، وبما أننى *احتجت* إلى مزيد من المال لإنقاذ شركتى ، فقد ازدادت الأمور سوءًا ، ولم يَبْدُ أن هناك مخرجاً أو مهرباً .

ثم اكتشفت السر ، وتحول كل شىء فى حياتى تحولاً تامًا ، بما فى ذلك حالة شركتى؛ لأننى غيرت طريقة تفكيرى ، وبينما استمر المحاسبون فى إثارة جلبة حول الأرقام والتركيز على نقصانها ، أبقيت عقلى فى حالة تركيز على الوفرة وعلى أن كل شىء على ما يرام . كنت *أعلم* بكل خلية من خلاياى أن الله سوف يسخر الكون ليمنحنى ما أتمناه ، وقد كان ، فقد تلقيت ما أتمناه بطرق لم تكن لتخطر ببالى . ساورتنى لحظات من الشك ، ولكن عندما كان يظهر الشك كنت أنقل أفكارى فى الحال للنتيجة النهائية لما أنشده . وقد شكرت الله على ما منحنى ، وشعرت بفرحة التلقى ، وصدقت !

أريد أن أطلعك على سر الوصول إلى السر ، وهو أن الطريق المختصر لأى شىء تريده فى الحياة هو أن تكون سعيدًا وأن تشعر بالسعادة الآن ! إنها الوسيلة الأسرع لجلب المال وأى شىء آخر إلى حياتك . ركز على أن تبث نحو الكون تلك المشاعر من البهجة والسعادة ، والتى لن تتضمن فقط وفرة المال ، ولكن كل شىء آخر مما تنشد . لابد أن تبث الإشارة لتعود إليك بما تريد . عندما تبث تلك المشاعر من السعادة ، سوف تعود إليك كصور وتجارب فى حياتك . إن قانون الجذب يعكس فى حياتك أعمق أفكارك ومشاعرك .

ركز على الرخاء

د. جو فيتال

أستطيع أن أتخيل أن كثيراً من الناس يقولون لأنفسهم ما يلى : " كيف يمكننى أن أجذب المزيد من المال إلى حياتى ؟ كيف يمكننى الحصول على المزيد من الأوراق الخضراء (الدولارات) ؟ كيف يمكننى الحصول على المزيد من الثروة والرخاء ؟ كيف يمكننى أن أجنى المزيد من المال مع كل الديون التى علىّ تسديدها ومقدار المال المحدود الذى أكسبه من وظيفتى التى أحبها ، كيف يمكننى تحقيق هذا ؟ " .

يعود هذا بنا إلى أحد الأمور التى تحدثنا عنها على مدار السر كله، وهى أن مهمتك هى الإعلان عما تود أن تحظى به من الكتالوج الخاص بالكون . إذا كانت النقود من بين ما تريد ، فلتقل كم تحتاج منها ، فلتقل مثلاً : " أود أن أحظى بخمسة وعشرين ألف دولار ، كدخل غير متوقع ، فى غضون الثلاثين يوماً التالية " . أو أيًّا كان ما تتمناه ، ويجب أن تؤمن و*تصدق* بأنك ستحظى بما تتمناه .

إذا كنت قد احتفظت بأفكار فيما مضى مفادها أن السبيل الوحيد للحصول على المال هو من خلال وظيفتك ، فلتتخل عنها إذن فى الحال . هل تعلم أنك كلما واصلت التفكير فى ذلك ، فلابد له أن يتجسد فى تجربتك الحقيقية ؟ مثل تلك الأفكار ليست فى صالحك .

إنك الآن تتوصل إلى استيعاب فكرة الرخاء والثراء المتاح لك ، وأنه ليس من شأنك أن تتوصل إلى الكيفية التى ستأتى إليك الأموال بواسطتها . إن مهمتك هى أن تطلب ، وأن

تؤمن بأنك تتلقى ما تطلب، وأن تشعر بالسعادة الآن ، واترك أمر التفاصيل للكون حول الطريقة التى سيتخذها ليجلب هذا إليك .

بوب بروكتور

لدى أغلب الناس هدف التخلص من الديون . من شأن هذا أن يبقيك مديوناً إلى الأبد . أيا كان الذى تفكر فيه ، فلسوف تجذبه إليك . قد تقول "ولكنى أفكر فى التخلص فى الديون " . لا يهمنى إذا ما كنت تفكر فى التخلص من الديون أم سدادها ، فإذا كنت تفكر بالديون ، فإنك تجتذب الديون . فلتؤسس برنامجاً آلياً لتسديد الديون ومن ثم ركز على الرخاء .

عندما تتراكم عليك كومة من الفواتير التى لا تعرف كيف ستسددها ، لا يمكنك التركيز على تلك الفواتير ؛ لأنك سوف تستمر فى اجتذاب المزيد من الفواتير. عليك أن تجد وسيلة ناجحة لكى تركز على الرخاء ، رغم أنف الفواتير المحيطة بك . عليك أن تجد وسيلة لتحظى بشعور طيب ، بحيث تستطيع أن تجلب الخير إلى نفسك .

جيمس راى

يقول لى الناس كثيراً عبارات من قبيل : "أود أن أضاعف دخلى فى العام القادم " ، ثم تتأمل أفعالهم فتجدهم لا يقومون بالأمور التى من شأنها أن تجعل هذا يحدث ، ثم تجد أحدهم يتلفت فى حيرة وهو يقول لنفسه : "لا يمكننى تحقيق هذا " . خمن ماذايحدث ؟ يقول له الكون : "أمرك مطاع " .

إذا كانت عبارة " لا يمكننى تحقيق هذا " قد مرت من شفتيك ، فإن قدرتك على تغيير ذلك

موجودة الآن . استبدل بتلك العبارة قولك " يمكننى تحقيق ذلك ! " ، " يمكننى شراء ذلك ! " قلها مراراً وتكراراً ، كن مثل الببغاء . على مدى الثلاثين يوماً التالية ، لتكن نيتك أنك سوف تنظر إلى كل شىء يروق لك وتقول : " يمكننى تحمل تكلفة هذا . يمكننى شراء ذلك " . وإذا رأيت سيارة أحلامك تمر ، قل : " يمكننى تحمل تكلفة تلك السيارة . وإذ ترى الملابس التى تحبها ، وإذ تفكر فى قضاء إجازة رائعة ، قل : " يمكننى تحمل تكلفة ذلك " . وعندما تقوم بهذا ستبدأ فى تحويل نفسك وستبدأ فى تحسين شعورك حيال المال . ستبدأ فى إقناع نفسك إنك تستطيع تحمل تكلفة تلك الأشياء ، وبينما تقوم بهذا ، سوف تتغير صور حياتك .

ليزا نيكولس

حين تركز على الافتقار والندرة وما لا تملكه ، وتثرثر كثيراً بشأن هذا مع أسرتك ، وتناقشه مع أصدقائك ، وتخبر أطفالك بأنك لا تملك ما يكفى – كأن تقول لهم : " لا نملك ما يكفى من أجل هذا ، لن نستطيع تحمل ثمنه " ، فعندئذ لن تستطيع أبداً تحمل ثمنه ؛ لأنك تبدأ فى جذب المزيد مما لا تملكه . إذا رغبت فى الوفرة ، إذا رغبت فى الرخاء، فلتركز إذن على الوفرة . ركز على الرخاء " .

" إن المادة الروحية التى تنبع منها كافة الثروات الظاهرة لا تنفد أبداً . إنها إلى جانبك طيلة الوقت وتستجيب إلى إيمانك ومطالبك " .

" تشارلز فيلمور" (١٨٥٤-١٩٨٤)

والآن وقد اطلعت على " السر " ، حين ترى شخصاً ثريًا سوف تعرف أن الأفكار المهيمنة على ذلك الشخص هى حول الثروة وليست حول الندرة ، وأنه قد جذب إليه الثروة - سواء قام

بهذا عمداً أو قصداً أو دون عمد أو قصد . هؤلاء الأشخاص قد ركزوا على أفكار الثروة وجعل الله الظروف والأحداث متاحة لينقل إليهم الثروة .

الثروة التى يمتلكونها ، تمتلكها أنت كذلك ، والاختلاف الوحيد بينك وبينهم أنهم فكروا فى الأفكار التى تجتذب الثروة إليهم . ثروتك بانتظارك فى عالم الغيب ، ولكى تجلبها إلى عالم الظاهر ، فكر فيها !

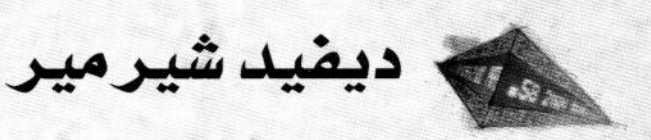

ديفيد شيرمير

عندما استوعبت " السر " أول مرة ، كل يوم كنت أتلقى حفنة من الفواتير فى البريد . أخذت أفكر وقلت لنفسى : " كيف يمكننى تحويل هذا إلى العكس ؟ " . ينص قانون الجذب على أنك ستحصل على ما تركز عليه ، لذلك أخذت بيان رصيد أتانى من البنك ، ومسحت كل الأرقام الموجودة به ، ووضعت رقماً جديداً فيه ، ووضعت كمية النقود التى أرغب أن تكون ملكى بالبنك ، وأخذت أفكر قائلاً لنفسى :"ماذا لو تصورت وحسب حفنة من الشيكات تأتى إلىّ فى البريد ؟ وفى غضون شهر واحد فقط ، بدأت الأمور تتبدل . إنه أمر مدهش ، فاليوم فقط وصلتنى شيكات فى البريد . جاءتنى بضع فواتير ، لكنى حصلت على شيكات أكثر من الفواتير .

منذ انطلاق فيلم " السر " ، تلقينا المئات والمئات من الرسائل من أشخاص قالوا إنهم منذ مشاهدتهم للفيلم تلقوا شيكات غير متوقعة فى البريد ، وقد حدث ذلك لأنهم لما منحوا تركيزهم وانتباههم لقصة " دفيد " ، جلبوا لأنفسهم الشيكات .

ثمة لعبة ابتكرتها ساعدتنى على تحويل مشاعرى تجاه كومة الفواتير، وهى أن أتظاهر أن تلك الفواتير هى فى الحقيقة شيكات . كنت أتقافز من البهجة وأنا أفتحها قائلة : " المزيد من المال من أجلى ! الحمد لله . الحمد لله " .كنت أتناول كل فاتورة ، متخيلة أنها شيك ، ثم أضيف لها بعقلى صفراً لأجعلها أكثر قيمة . أحضر دفتر أوراق وأكتب فى أول الصفحة " لقد تلقيت " . ثم أعد قائمة بجميع المبالغ لتلك الفواتير مع الصفر المضاف. إلى جانب كل مبلغ أكتب " الحمد لله " ، وأحس بمشاعر الامتنان لتلقيها للدرجة التى تترقرق عندها الدموع فى عينى ، ومن ثم أتناول كل فاتورة ، والتى تبدو بمبلغ ضئيل مقارنة بما قد تلقيته ، وأدفعها فى امتنان !

لا أفتح فواتيرى مطلقاً حتى أجعل نفسى أحس وكأنها شيكات . إذا فتحت فواتيرى قبل أن أقتنع أنها شيكات ، فإن معدتى تتقلص حين أفتحها . وأدرك أن هذا الإحساس بتقلص معدتى سيجلب المزيد من الفواتير إلىَّ . أدرك أن علىَّ أن أمحو ذلك الشعور ، وأستبدل به مشاعر من البهجة ؛ بحيث يمكننى جلب المزيد من المال إلى حياتى . وفى مواجهة كومة الفواتير فإن هذه اللعبة كانت نافعة لى ، وغيرت حياتى . هناك الكثير للغاية من الألعاب يمكنك ابتكارها ، وسوف تعرف ما يجدى نفعاً بالنسبة لك من خلال طبيعة المشاعر التى بداخلك . عندما تتظاهر وتتخيل، تأتى النتائج أسرع مما تتصور!

لورال لانجمير

محللة استراتيجية مالية ، ومحاضرة ، ومدربة في مجال التنمية الشخصية ومدربة شركات

لقد نشأت على مقولة " لابد أن تكدحى فى العمل من أجل المال " ، وهكذا استبدلت بها مقولة "المال يأتى بسهولة ويسر " . ولكن هذا فى البداية يبدو وكأنه كذبة ، أليس كذلك ؟ فثمة جزء من عقلك سيقول " آه أيتها الكاذبة ، الأمر عسير " . لذلك يجب أن تعلم أنك لن تقتنع تماماً بتلك المقولة إلا بعد الوقت والتفكير .

إذا كانت تراودك أفكار من قبيل : " عليَّ أن أعمل بشق الأنفس وأكدح لكى أحصل على المال " . فلتتخل عنها فى الحال . فعندما تراودك تلك الأفكار فإنك تبث ذلك التردد ، وتصبح هى صور حياتك الحقيقية . فلتأخذ بنصيحة لورال لانجمير ، واستبدل بتلك الأفكار فكرة : " المال يأتى بسهولة ويسر " .

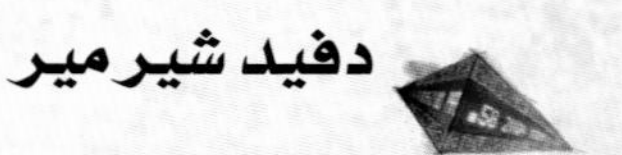

دفيد شيرمير

عندما يتعلق الأمر بتكوين الثروة ؛ فالثروة مسألة توجه فكرى . الأمر كله يعتمد على كيفية تفكيرك .

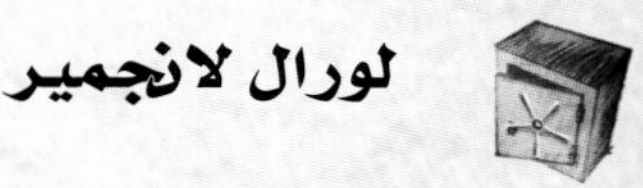

لورال لانجمير

يمكننى القول إن نسبة ٨٠٪ من التدريب الذى أؤديه مع الناس يتعلق بسيكولوجيتهم والطريقة التى يفكرون بها . أعرف حين يقول

الناس : "آه أنت تستطيعين القيام بهذا ، لكننى لا أستطيع "، لكن بوسع الناس أن يغيروا من علاقتهم الداخلية بالمال و حديثهم الداخلى عنه .
النبأ السار هو أنك فى اللحظة التى تقرر فيها أن ما تعلمه أهم مما تعلمت أن تصدقه ، فإنك بهذا تكون قد حولت كل طاقتك تجاه البحث عن الوفرة . النجاح ينبع من الداخل ، وليس من الخارج".

" رالف والدو إيمرسون " (١٨٠٣- ١٨٨٢)

عليك أن تحس بشعور طيب حيال المال لكى تجذب المزيد منه إليك . ومن المفهوم بالطبع أن الناس حين لا يمتلكون مالاً كافياً لا يحسون بشعور طيب حيال المال ؛ لأنهم لا يملكون الكفاية . لكن تلك المشاعر السلبية حيال المال تمنع المزيد من المال من الوصول إليك ! عليك أن توقف هذه الحلقة المفرغة من المشاعر السلبية ويمكنك إيقافها من خلال شروعك فى الإحساس بمشاعر طيبة حيال المال ، وأن تكون ممتناً لما تمتلكه . ابدأ فى ترديد العبارات التالية *واشعر* بها : " لدى أكثر مما يكفى " ، " هناك وفرة من المال وهى فى طريقها إلى " ، " إننى مغناطيس يجذب المال " ، " أحب المال والمال يحبنى " ، " أننى أتلقى المال كل يوم " ، الحمد لله . الحمد لله " .

امنح المال لتحصل على المزيد منه

العطاء فعل قوى لجلب المزيد من المال إلى حياتك ؛ لأنك عندما تعطى فكأنك تقول : " إن لدى الكثير " . لن تفاجأ عندما تعلم أن أكثر الأشخاص ثراء على الأرض هم أعظم المحسنين على الإطلاق . إنهم يتبرعون بمبالغ هائلة من المال ، وإذ يعطون ، فإن الله يجعل

الكون ، وفقاً لقانون الجذب ، يتفتح ويتدفق بمبالغ هائلة من المال عائدة إليهم ـ مضاعفة!

إذا كنت تفكر هكذا : " ليس لدى ما يكفى من المال لكى أعطى " فقد أدركت الآن لماذا لا تملك ما يكفى من المال ! حين تفكر أنك لا تمتلك ما يكفى لكى تعطى ، ابدأ بالعطاء ، وحين تبدى إيماناً بالعطاء ، فلابد أن قانون الجذب سيعطيك المزيد لكى تعطى .

ثمة فرق كبير بين العطاء والتضحية ؛ فالعطاء من القلب يحمل شعوراً طيباً غامراً . أما التضحية فلا تحمل شعوراً طيباً . لا تخلط بين الاثنين – فهما متعارضان كل التعارض ؛ فأحدهما يبث إشارة الافتقار والآخر يبث إشارة الزيادة عن الكفاية . أحدهما يحمل شعوراً طيباً لنا ، والآخر لا يحمل شعوراً طيباً لنا ؛ فالتضحية فى نهاية الأمر سوف تؤدى إلى الحنق والنقمة . إن العطاء من قلب عامر هو من أبهج الأشياء التى يمكنك فعلها ، وقانون الجذب سوف يلتقط تلك الإشارة ويغمرك بالمزيد من الأشياء فى حياتك ، يمكنك أن تشعر *بالفارق* .

جيمس راى

أجد أشخاصاً كثيرين للغاية يحققون مبالغ طائلة من المال ، لكن علاقاتهم الشخصية تعانى الفشل . وتلك ليست هى الثروة . يمكنك أن تسعى وراء المال وقد تصير ثرياً ، لكن ذلك لا يضمن أن تحظى بالثروة . لا أقول بأن المال ليس جزءاً من الثروة ، إنه كذلك بلا شك ، لكنه مجرد جزء .

وألتقى بأشخاص كثيرين للغاية أثرياء "روحياً" لكنهم إما مرضى أو مفلسون طوال الوقت ، فتلك أيضاً ليست هى الثروة ؛ فالحياة هى الوفرة – فى جميع النواحى .

إذا كنت قد نشأت على مبدأ أن تحقيق الثروة يتعارض مع الحياة الروحية فإننى أنصحك بشدة أن تقرأ سلسلة كتب The Millionaires of The Bible Series بقلم " كاثرين بوندر " . وفى تلك الكتب المذهلة سوف تكتشف أن حكماء عديدين لم يكونوا فقط معلمين عظاماً للوفرة ، لكن أيضاً أصحاب ملايين هم أنفسهم ، يعيشون نمط حياة سخياً ومرفهاً أكثر من أصحاب ملايين كثيرين فى زماننا هذا .

أنت وريث تلك المملكة ، والوفرة هى حقك الفطرى ، وأنت تمسك بمفتاح المزيد من الوفرة فى كل ناحية من نواحى حياتك أكثر مما يمكنك أن تتخيل . إنك تستحق كل شىء طيب تنشده ، ولسوف يمنحك الخالق كل شئ طيب تريده ، ولكن عليك أن تستدعى ما ترغبه إلى حياتك . أنت الآن تعرف السر . أنت تمتلك المفتاح ، والمفتاح هو أفكارك ومشاعرك ، وأنت تمتلك هذا المفتاح طوال حياتك .

مارسى شيموف

يناضل الكثير من الناس فى الثقافة الغربية من أجل تحقيق النجاح . يريدون منزلاً عظيماً ، يريدون مشروعهم التجارى الخاص ، يريدون كل تلك الأشياء الخارجية ، لكن ما وجدناه فى أبحاثنا أن امتلاك تلك الأشياء الخارجية لا يكفل بالضرورة ما نريده حقاً ، ألا وهو السعادة.

وهكذا فإننا نسعى وراء تلك الأشياء الخارجية معتقدين أنها سوف تجلب لنا السعادة ، لكنها تجلب عكس ذلك . عليك أن تسعى للبهجة الداخلية ، السلام الداخلى ، البصيرة الداخلية أولاً ، ومن ثم سوف تظهر كل الأشياء الخارجية التى تتمناها .

كل شىء تريده هو مهمة تجرى بالداخل ! العالم الخارجى هو عالم الآثار والنتائج ، إنه فقط نتاج لأفكارك . اضبط أفكارك وترددك على السعادة . فلتبث مشاعر السعادة والبهجة بداخل نفسك ، وانقل ذلك إلى الكون بكل ما يسعك من قوة ، وسوف تخلق جنة صغيرة على الأرض .

السر فى نقاط موجزة

- لكى تجذب المال ، ركز على الثروة . من المستحيل أن تجلب المزيد من المال إلى حياتك حين تركز على الافتقار له .

- من المفيد أن تستعين بخيالك وأن تتظاهر بأنك تملك بالفعل المال الذى تريد . مارس العاب امتلاك الثروة وسوف تحس شعوراً طيباً حيال المال ؛ وعندما يتحسن شعورك حياله ، سيتدفق المزيد منه إلى حياتك .

- الشعور بالسعادة الآن هو أسرع الطرق لجلب المال إلى حياتك .

- لتعقد النية على أن تتطلع إلى كل شىء يروقك وتقول لنفسك : " يمكننى تحمل نفقة هذا . يمكننى شراؤه " . وسوف تحول تفكيرك ويتحسن شعورك حيال المال .

- امنح المال لكى تحصل على المزيد منه فى حياتك . عندما تكون جواداً بالمال وتحس بشعور طيب حيال تقاسمه ، فإنك تقول : " إن لدىّ الكثير" .

- تخيل شيكات تصلك بالبريد .

- اجعل كفة أفكارك ترجح لصالح الثروة . فكر باستمرار فى الثروة .

سر العلاقات

مارى دياموند

استشارية فى مجال الفنج شوى (فن التوافق بين الإنسان ومحيطه) ، معلمة ومتحدثة .

المقصود من السر أننا نحن من نشكل عالمنا ، وأن كل أمنية نبتغى تحقيقها سوف تتجلى فى حياتنا . وبالتالى ، فإن أمانينا وأفكارنا ومشاعرنا هى أشياء فى غاية الأهمية ؛ لأنها سوف تتجلى و تتجسد .

ذات يوم زرت منزل مخرج فنى ، وهو منتج أفلام شهير للغاية . و كان لديه صورة بديعة لامرأة ملتحفة بدثار وتشيح بنظرها بعيداً كما لو كانت تقول "إننى لا أراك " . قلت له : "أظن أنك ربما تواجه مشكلات فى حياتك العاطفية " . فقال : "هل أنت عرافة ؟ "قلت له : " كلا ، ولكن انظر . فى سبعة أماكن ، وضعت صورة تلك المرأة نفسها " . قال : "لكنى أحب ذلك النوع من الرسم . لقد رسمتها بنفسى " . قلت : " هذا يزيد الأمر سوءاً ؛

لأنك وضعت فيها كل قدرتك الإبداعية وتركيزك ".

كان رجلاً جذاباً تحيط به كل تلك الممثلات لأن هذه طبيعة عمله ، ولكنه لم يحظ بأية علاقة عاطفية . سألته : " ماذا تريد ؟ " فقال: " أريد أن أتعرف على ثلاث نساء كل أسبوع حتى أختار شريكة حياتى". فقلت : "لا بأس ، ارسم ذلك . ارسم نفسك بصحبة ثلاث نساء ، وعلق الصورة فى كل ركن من غرفة معيشتك ".

بعد ذلك بستة شهور رأيته وسألته : " كيف حال حياتك العاطفية؟" قال : " رائع ! النساء يتصلن بى ، يرغبن فى التعرف على " . قلت لأن تلك هى أمنيتك " قال : أشعر شعوراً رائعاً . أقصد أننى على مدى سنوات لم ألتق بامرأة واحدة ، والآن لدى ثلاثة لقاءات تعارف كل أسبوع . إننى أرغب حقاً أن أستقر . أريد الزواج حالاً ، أريد أن أشعر بالحب ". قلت : "هذا فى صالحك ، ارسم ذلك إذن "، ثم رسم زوجان فى مشهد رومانسى جميل ، وبعدها بعام تزوج ، وهو فى غاية السعادة .

هذا لأنه أخرج أمنية أخرى من نفسه . تمنى ذلك فى داخله لسنوات دون أن يحدث شيء لأن أمنيته لم تتجسد . المستوى الخارجى من نفسه – منزله – كان يخالف رغبته وأمنيته طوال الوقت . وهكذا إذا فهمت هذه المعرفة ، عندئذ فقط يمكنك استغلالها .

إن قصة " مارى دياموند " عن عميلها تعد برهاناً ممتازاً على أن فن " الفنج شوى " يعكس تعاليم " السر " . وهى توضح كيف يمكن لأفكارنا أن تخلق بقوة وفاعلية عندما نضعها فى

المحك العملى . أى فعل تتخذه لابد أن يكون مسبوقاً بفكرة . فالأفكار تصنع الكلمات التى نتحدث بها ، والمشاعر التى نشعر بها ، وأفعالنا والأفعال شديدة القوة على وجه الخصوص ؛ لأنها أفكار *دفعتنا* إلى الفعل .

قد لا ندرك حتى ما هى أفكارنا الداخلية العميقة ، لكننا نستطيع أن ندرك ما كنا نفكر فيه بالنظر إلى الأفعال التى اتخذناها . فى قصة المنتج السينمائى ، كانت أفكاره الداخلية منعكسة فى أفعاله وأجوائه المحيطة . رسم نساء عديدات ، جميعهن يشحن ببصرهن بعيداً عنه . أيمكنك أن تعرف ماذا كانت أفكاره الداخلية ؟ حتى لو كانت كلماته تقول إنه أراد أن يلتقى بالمزيد من النساء ، فإن أفكاره الداخلية لم تعكس ذلك فى رسوماته . والاختيار المقصود لتغيير أفعاله ، أدى إلى أن يركز فكره كاملاً على ما يريد . بهذا التحول البسيط ، كان بمقدوره أن يرسم حياته وأن يستدعيها للوجود من خلال قانون الجذب .

عندما ترغب فى جذب شىء ما إلى حياتك ، تأكد من أن أفعالك لا تناقض رغباتك . أحد أروع الأمثلة على هذا يقدمه " مايك دولى " ، أحد المعلمين المشاركين فى فيلم " السر " ، فى برنامجه التعليمى المسجل على شرائط كاسيت ، وهو قصة امرأة أرادت أن تجذب إلى حياتها شريك حياة مثاليًا . قامت بكل الأمور الصائبة : كانت واضحة بشأن ما تريد أن يكون عليه ، وأعدت قائمة مفصلة بسماته ، وتخيلته فى حياتها ، وعلى الرغم من القيام بجميع تلك الأشياء ، لم يظهر فى حياتها .

ثم فى أحد الأيام عندما وصلت للمنزل وكانت توقف سيارتها فى منتصف مرآبها ، شهقت بشدة ؛ إذ أدركت أن أفعالها مناقضة لما تريد ؛ فهى تضع سيارتها فى منتصف المرآب ؛ مما لا يترك مساحة متبقية لسيارة شريك حياتها المثالى ! كانت أفعالها تقول بمنتهى القوة للكون إنها لا تصدق أنها سوف تتلقى ما طلبته . وهكذا قامت على الفور بتنظيف مرآبها

وأوقفت سيارتها على أحد الجانبين ، تاركة مساحة لسيارة شريك حياتها المثالى فى الجانب الآخر ، ثم ذهبت إلى غرفة نومها وفتحت دولاب ملابسها ، والذى كان مزدحماً بالملابس عن آخره ، ولم تكن به أى مساحة لملابس شريك حياتها المثالى ، وهكذا أزاحت بعضاً من ملابسها لإفراغ مساحة . كانت دائماً تنام فى منتصف فراشها ، وهكذا بدأت تنام على جهتها " هى " ، تاركة المساحة المتبقية لشريكها .

حكت هذه المرأة حكايتها لـ " مايك دولى " على عشاء ، جالساً إلى جانبها على المائدة شريك حياتها المثالى ؛ فبعد اتخاذها كل تلك الأفعال القوية والتصرف كما لو أنها نالت بالفعل شريك حياتها المثالى ، كل هذا جلب هذا الشريك إلى حياتها ، وهما الآن زوجان سعيدان .

ثمة مثال آخر بسيط حول " التظاهر " هى قصة " أختى جليندا " ، والتى كانت مديرة إنتاج فيلم " السر " . كانت تقيم وتعمل فى أستراليا ، وأرادت أن تنتقل إلى الولايات المتحدة وأن تعمل معى فى مكتبنا بأمريكا . كانت " جليندا " تعرف " السر " خير معرفة، وهكذا كانت تقوم بجميع الأشياء الصائبة لكى تجلب إليها ما تريد ، لكن الشهور كانت تتوالى وهى لا تزال فى أستراليا .

نظرت " جليندا " إلى أفعالها وأدركت أنها لم تكن تتظاهر وتتصرف كما لو أنها كانت تتلقى ما تنشده . وهكذا بدأت تتخذ أفعالاً قوية . رتبت كل شىء فى حياتها لرحيلها . ألغت عضوياتها فى المؤسسات والنوادى المختلفة ، تبرعت بأشياء لن تحتاج إليها ، وأخرجت حقيبة سفرها وحزمتها ، وفى غضون أربعة أسابيع ، كانت " جليندا " فى الولايات المتحدة تعمل فى مكتبنا هناك .

فكر فى ما طلبته ، وتأكد من أن أفعالك تعكس ما تتوقع تلقيه ، وأنها لا تناقض ما طلبته .

تصرف كما لو أنك تتلقاه . قم بالضبط بما سوف تقوم به إذا كنت تتلقى ذلك اليوم ، واتخذ أفعالاً فى حياتك لتعكس ذلك التوقع القوى . أخل مساحة لتستقبل فيها رغباتك ، وعندما تفعل ، فإنك ترسل إشارة قوية تدل على التوقع .

مهمتك أن تراعى نفسك

ليزا نيكولس

داخل العلاقات من المهم أن نفهم أولاً من الذى يتلقى فى العلاقة ، لا تفكر فى شريك حياتك وحسب . عليك أن تفهم ما تحتاج إليه أولاً .

جيمس راى

كيف تتوقع أن يستمتع أى شخص آخر بصحبتك إذا لم تكن تستمتع أنت بصحبة نفسك ؟ ومرة أخرى ، فإن قانون الجذب أو "السر" يدور حول جلب ذلك إلى حياتك . عليك أن تكون واضحاً حقًّا مع نفسك . إليك السؤال الذى أطرحه عليك لتتأمله : هل تعامل نفسك على النحو الذى تريد من الأشخاص الآخرين أن يعاملوك به ؟

عندما لا تعامل نفسك على النحو الذى تريد من الآخرين أن يعاملوك به فإنك لا تستطيع مطلقاً أن تغير الطبيعة التى عليها الأمور . إن أفعالك هى أفكارك القوية ، وهكذا فإن لم تعامل نفسك بالحب والاحترام ، فإنك تبث إشارة تقول إنك غير مهم بما يكفى ، أو

لا تستحق . سوف تستمر تلك الإشارة فى الانتشار ، وسوف تعيش المزيد من المواقف مع أشخاص لا يعاملونك كما يجب . الأشخاص هم النتيجة وحسب ، أما أفكارك فهى السبب لابد أن تبدأ فى معاملة نفسك بالحب والاحترام ، وتبث تلك الإشارة وتضبط ذلك التردد. ومن ثم سوف يحرك قانون الجذب الكون بكامله ، وسوف تمتلئ حياتك بالأشخاص الذين يحبونك ويحترمونك .

الكثير من الأشخاص ضحوا بأنفسهم من أجل آخرين ، معتقدين أنهم حين يضحون بأنفسهم فإنهم يكونون أشخاصاً صالحين . خطأ! إن التضحية بنفسك لا تتأتى إلا عن تفكير ينم عن الافتقار المطلق ؛ فهذا السلوك معناه أنك تقول لنفسك : " ليس هناك ما يكفى الجميع ، وهكذا سأحرم نفسى أنا " هذه المشاعر ليست جيدة وسوف تقود فى نهاية الأمر إلى الحنق والنقمة . هناك وفرة من أجل الجميع ، ومسئولية كل شخص هى أن يستدعى رغباته الخاصة . لا يمكنك أن تستدعى رغبات شخص آخر نيابة عنه ؛ لأنك لا تستطيع أن تفكر أو أن تشعر بدلاً منه . مهمتك هى أن تراعى نفسك ، وعندما يصبح التحلى بشعور طيب من أولوياتك ، فإن ذلك التردد المتميز سوف يشع ويلمس كل شخص قريب منك .

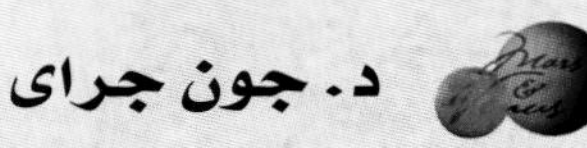

د. جون جراى

إنك تصير الحل بالنسبة لنفسك . لا تشر نحو شخص آخر وتقول : " الآن إنك مدين لى ، وعليك أن تعطينى المزيد " ، وبدلاً من ذلك أعط المزيد لنفسك . اقتطع وقتاً لكى تعطى نفسك ، أشبع نفسك بشكل تام ، ومن هنا يمكنك الاستغراق فى العطاء .

" لكى تحصل على الحب .. املأ نفسك بالحب
لأقصى حد حتى تصير مغناطيساً " .

" تشارلز هانيل "

العديد منا تعلموا وضع أنفسهم فى آخر القائمة ، وكعاقبة لذلك نجذب إلينا مشاعر تنطوى على القصور وعدم الاستحقاق ، وتتراكم تلك المشاعر بداخلنا ، ونواصل فى حياتنا جذب المزيد من المواقف التى تشعرنا بالقصور وعدم الاستحقاق ، وعليك أن تغير ذلك التفكير.

"بعض الناس ليس لديهم أدنى شك فى أن فكرة بذل الكثير من العطاء والحب للنفس سوف تبدو باردة للغاية ، وجافة وغير رحيمة . ومع هذا، فالأمر قد يُنظر إليه من زاوية أخرى ، حين نجد أن " الاهتمام بالذات " هو فى الواقع اهتمام بالآخر ، وهو الطريقة الوحيدة لبذل العطاء الدائم للآخرين" .

"برنتيس ملفورد"

ما لم تكن تشعر بالإشباع الداخلى التام ، فلن يكون لديك شىء لتعطيه لأى شخص ، وبالتالى فمن الحتمى أن تهتم بنفسك أولاً ؛ وأن تهتم ببهجتك أولاً ؛ فالناس مسئولون عن بهجتهم الخاصة. فحين تحرص على بهجتك وتقوم بما يحمل لك شعوراً طيباً ، ستصبح مصدر بهجة مَن حولك وتصبح مثالاً مشرقاً لكل طفل ولكل فرد فى حياتك . حين تشعر بالبهجة لن تكون مضطراً للتفكير حتى بشأن العطاء ، فسوف يتدفق منك بشكل طبيعى .

ليزا نيكولس

دخلت فى علاقات عديدة متوقعة من الطرف الآخر أن يُظهر لى جمالى ؛ لأننى لم أر جمالى الخاص . عندما كنت يافعة ، كان أبطالى المفضلون هن المرأة الخارقة والمرأة العجيبة وبطلات أفلام " ملائكة تشارلى " ، وبينما كن رائعات ، فلم يكن شبيهات بى . وبعد أن وقعت فى غرام "ليزا"، وقعت فى غرام بشرتى البنية ، وشفتى الممتلئتين ، وفخذى المستديرين ، وشعرى الأسود المموج ، وأصبح باقى العالم قادراً على أن يقع فى غرامى هو أيضاً.

السبب الذى يجعل من الضرورى أن تحب " نفسك " هو أنه من المستحيل أن تشعر بشعور طيب إذا لم تكن تحب " نفسك " . عندما تشعر بشعور سيئ حيال نفسك ، فإنك تعوق كل الحب وكل الخير الموجود من أجلك .

عندما تشعر بشعور سيئ حيال نفسك يبدو الأمر كما لو أنك تستنفد طاقة الحياة بداخلك، وهذا لأن كل ما فيه خير لك سواء على صعيد الصحة أو الثروة أو الحب ـ يكون على تردد البهجة والشعور الطيب وليس على تردد الشعور السيئ . إن شعور امتلاك كمية لانهائية من الطاقة ، وهذا الإحساس المدهش بالصحة والعافية كلها أحاسيس تقع على تردد الشعور الطيب ، وعندما لا تشعر بالرضا عن نفسك أو تراودك مشاعر سيئة حيالها، فإنك تصبح على تردد يجذب لك المزيد من الأشخاص والمواقف والظروف التى سوف تستمر فى دفعك إلى الشعور بشكل سيئ إزاء نفسك .

عليك أن تغير تركيزك وتبدأ فى التفكير بشأن جميع الأمور الرائعة التى تتسم بها . انظر إلى الجانب الإيجابي منك ، وعندما تركز على تلك الأشياء ، فإن قانون الجذب سيعرض لك المزيد من الأشياء العظيمة بشأنك . إنك تجذب ما تفكر بشأنه . كل ما عليك القيام به

هو أن تبدأ بفكرة مطولة عن شىء جيد بشأنك ، وسوف يستجيب قانون الجذب بإعطائك المزيد من الأفكار الشبيهة . ابحث عن الأشياء الجيدة بشأنك - اسع وستجد !

بوب بروكتور

ثمة شيء بالغ الروعة فيك . لقد كنت أدرس نفسى لمدة ٤٤ سنة أشعر أحياناً بالرغبة فى تقبيل نفسى ! ذلك لأنك سوف تتوصل لحب نفسك . لست أتحدث بشأن الزهو والاختيال ، لكنى أتحدث عن الاحترام الصحى للذات ، وعندما تحب نفسك ، سوف تحب الآخرين تلقائياً .

مارسى شيموف

فى العلاقات اعتدنا أن نشتكى من الأشخاص الآخرين ؛ فمثلاً : "قد تسمع كثيراً العبارات التالية : "زملائى فى العمل فى منتهى الكسل ، زوجى يصيبنى بالجنون ، أطفالى صعبو المراس للغاية" ؛ حيث يكون التركيز دائمًا على الطرف الآخر ، ولكن من أجل أن تؤتى العلاقات أكلها فإننا بحاجة للتركيز على ما نقدره عند الشخص الآخر ، و ليس ما نشتكى منه . عندما نشتكى من تلك الأشياء فإننا لا نحصل إلا على المزيد منها .

حتى لو كنت تعانى وقتاً عسيراً حقاً فى علاقتك بشريك حياتك - بينكما كثير من المشكلات – لا تتوافقان ، وتشعر أنك لم تعد تحبه كالسابق – فما زال بوسعك أن تحول تلك العلاقة لصالحك . تناول صفحة من الورق - وعلى مدى الثلاثين يوماً التالية اجلس واكتب جميع الأشياء التى تقدرها فى ذلك الشخص . فكر بشأن جميع الأسباب التى تحبه من أجلها . مثلاً حاول

تقدير روح الدعابة التى يتسم بها ، ومساندته لك وللآخرين . وما سوف تكتشفه أنك حين تركز على التقدير والاعتراف بنقاط قوته ، فإن ذلك هو ما سوف تحصل على المزيد منه ، ومن ثم سوف تتلاشى المشكلات.

ليزا نيكولس

غالباً ما تعطى الآخرين الفرصة لصنع سعادتك ، وفى أوقات عدة يخفقون فى صنعها على النحو الذى تنشده . لماذا ؟ لأنه يوجد شخص واحد فقط يمكن أن يكون مسئولاً عن بهجتك وعن نعيمك ، وهو أنت . حتى والداك ، أو أطفالك ، أو شريكك فى الحياة – ليس منهم من يملك التحكم بسعادتك . إنهم ببساطة يمتلكون الفرصة ليقاسموك سعادتك ، أما سعادتك فتكمن بداخلك .

كل بهجتك تقع على تردد الحب ـ الذى هو أعلى وأقوى تردد على الإطلاق . أنت لا تستطيع أن تمسك الحب بين يديك . يمكنك فقط أن *تشعر* به فى قلبك . إنه حالة وجود . يمكنك أن ترى برهاناً على الحب من خلال الناس ، لكن الحب شعور ، وأنت الشخص الوحيد الذى يمكنه أن يبث ذلك الشعور بالحب . قدرتك على توليد مشاعر الحب غير محدودة ، وعندما تحب تكون فى حالة انسجام تام وكامل مع الكون . أحب كل شىء تستطيع أن تحبه . أحب كل شخص تستطيع أن تحبه . ركز فقط على الأشياء التى تحبها ، اشعر بالحب ، وسوف تجد أن الحب والبهجة يعودان إليك ـ مضاعفين ! لابد لقانون الجذب أن يرسل إليك أشياء لتحبها وبينما تشع حباً ، سوف يبدو وكأن الكون كله يقوم بكل شىء من أجلك ، وستجد بالقرب منك كل شىء مبهج ومفرح ، كل شخص طيب وصالح . هذا هو الحب فى الحقيقة .

السر فى نقاط موجزة

- عندما تريد أن تجذب شريكاً لحياتك ، تأكد من أن أفكارك ، وكلماتك ، وأفعالك ، والأجواء المحيطة بك لا تتعارض مع رغباتك .

- مهمتك هى أن تعتنى بنفسك . ما لم تشبع داخليًا وتملأ نفسك بالحب عن آخرك ، فلن يكون لديك شىء لتعطيه لأى شخص .

- عامل نفسك بالحب والاحترام ، وسوف تجذب أناساً يبدون لك حبًا واحتراماً .

- عندما تشعر بشعور سيئ حيال نفسك ، أنت بذلك تعيق الحب ، وبدلاً من ذلك سوف تجذب المزيد من الناس والمواقف التى سوف تواصل نقل الشعور السيئ إليك .

- ركز على السمات التى تحبها فى نفسك ، وسوف يظهر لك قانون الجذب المزيد من الأشياء العظيمة فيك .

- لكى تجعل علاقتك بشريك حياتك أو بأى شخص تنجح ، ركز على ما تقدره بشأن الطرف الآخر ، وليس على شكواك . عندما تركز على مواطن القوة ، سوف تنال المزيد منها .

سر الصحة

د. جون هاجلين

عالم فيزياء كمية وخبير السياسة العامة

إن جسدنا حقًّا هو نتاج أفكارنا . لقد بدأنا نستوعب بالفعل فى مجال العلم الطبى الدرجة التى تحدد بها طبيعة الأفكار والعواطف فعلياً المادة الفيزيائية والبنية والكفاءة الوظيفية لأجسادنا .

د. جون ديمارتينى

لقد تعرفنا فى فنون الشفاء على تأثير البلاسيبو (العلاج الإرضائى) . والعلاج الإرضائى هو شىء من المفترض أن يكون عديم الأثر أو بلا تأثير على الجسد مثل قرص من سكر.

وفى هذا النوع من العلاج يخبر المريض بأن هذا عقار له فعالية ، وما يحدث بالفعل هو أن العلاج الإرضائى أحياناً يكون له نفس تأثير ، إن لم يكن

تأثيراً أكثر ، من العقار الطبى المفترض به أن يكون مصمماً لإعطاء ذلك التأثير . وقد تبين العلماء أن العقل البشر هو العامل الأكبر فى فنون الشفاء، وأحياناً أكثر من العقار الطبى .

بعد أن تصير واعياً بالقوة الهائلة لـ " لسر " ، ستبدأ فى أن ترى بجلاء الحقيقة الكامنة لبعض النطاقات المحددة فى الطبيعة الإنسانية ، بما فى ذلك نطاق الصحة . إن تأثير العلاج الإرضائى ظاهرة فى غاية القوة . عندما يعتقد المرضى ويؤمنون حقاً بأن القرص علاج حقيقى ، فسوف يتلقون ما يؤمنون به ، وسوف يتم علاجهم .

د. جون ديمارتينى

إذا كان شخص ما فى موقف يكون فيه مريضاً ولديه بديل للعقار الطبى ، وهو أن يجرب استكشاف ما يوجد فى عقله ويسبب هذا المرض ، أما إذا كان المرض حاداً لدرجة أنه قد يؤدى إلى الوفاة فمن الضرورى أن يلجأ الشخص إلى العقاقير ، هذا إلى جانب استكشاف السبب الذهنى المؤدى لذلك المرض . لذلك أنا لا أقول أن نتجاهل العقار الطبى ونلغى دوره ، إنما كل شكل من العلاج له مكانه ووقته وفائدته .

العلاج من خلال العقل يمكن له أن يعمل فى تناغم مع العقاقير الطبية . وإذا ارتبط الأمر بألم ، فإن العقار بوسعه أن يساعد على القضاء على ذلك الألم ، مما يسمح للشخص أن يكون قادراً على التركيز بقوة عظيمة على الصحة . " التفكير فى الصحة التامة " هو أمر يمكن لأى شخص القيام به بشكل شخصى وداخلى ، بصرف النظر عما يحدث حوله .

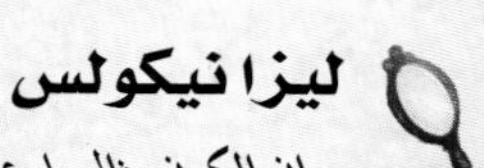

ليزا نيكولس

إن الكون مثال بارع على الوفرة . عندما تنفتح للشعور بثراء الكون ، سوف

تعيش الدهشة ، والبهجة ، والبركة ، وكل الأشياء العظمى التى يدخرها الخالق لك – الصحة الطيبة ، الثروة الطيبة ، الطبيعة الطيبة . ولكن حين تنغلق على نفسك بالأفكار السلبية ، ستشعر بالضيق والانزعاج ، سوف تتابك الأوجاع والآلام ، وستشعر كما لو أن كل يوم لا يمر إلا بشق الأنفس .

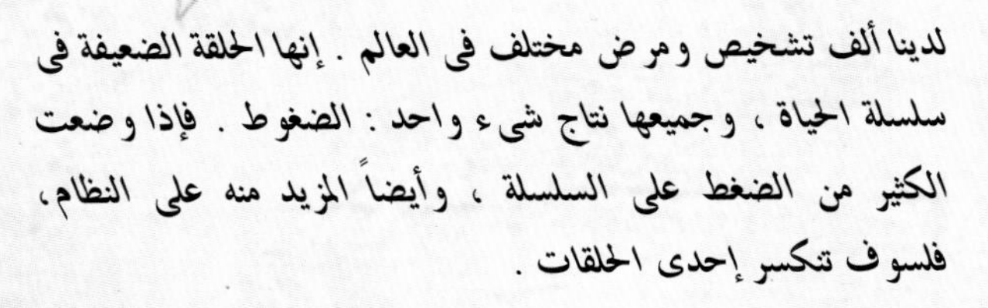

د. بين جونسون

طبيب ، ومؤلف ، ورائد من رواد العلاج بالطاقة

لدينا ألف تشخيص ومرض مختلف فى العالم . إنها الحلقة الضعيفة فى سلسلة الحياة ، وجميعها نتاج شيء واحد : الضغوط . فإذا وضعت الكثير من الضغط على السلسلة ، وأيضاً المزيد منه على النظام، فلسوف تتكسر إحدى الحلقات .

تبدأ كل الضغوط بفكرة واحدة سلبية . فكرة واحدة مضت دون مراجعتها وتفقدها ، ومن ثم تأتى المزيد والمزيد من الأفكار ؛ حتى يتبدى الضغط ويتخذ شكلاً . الأثر هو الضغوط ، لكن السبب هو التفكير السلبى ، وكل ذلك يبدأ بفكرة واحدة صغيرة . وبصرف النظر عما يكون قد ظهر ، فيمكنك تغييره .. بفكرة واحدة صغيرة تتبعها واحدة تلو الأخرى .

د. جون ديمارتينى

إن بنيتنا الجسدية تخلق المرض لكى تعطينا مردوداً ؛ لتسمح لنا أن نعرف أن لدينا منظوراً غير متوازن ، أو أننا لم نكن نتحلى بالحب والامتنان ، وعلى هذا فإن علامات وأعراض الجسد ليست شيئاً رهيباً ومخيفاً .

يخبرنا د . ديمارتينى بأن الحب والامتنان سيحلان كل السلبية فى حياتنا ، بصرف النظر عن الشكل الذى تتخذه . إن الحب والامتنان بمقدورهما شق البحور ، وتحريك الجبال ، وصنع المعجزات ، وبمقدور الحب والامتنان أن يشفيا أى مرض بإذن الله .

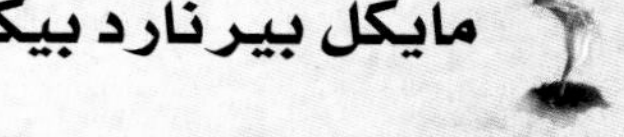

مايكل بيرنارد بيكويث

السؤال الذى يطُرَح باستمرار "عندما يصاب أحدهم بمرض فى الجسد أو بنوع من التعب والملل فى حياته ، فهل يمكن تحويل ذلك للعكس عن طريق قوة التفكير "الصحيح "؟ والإجابة هى نعم بكل تأكيد .

الضحك خير دواء

كاثى جودمان ، قصة شخصية

شخصوا حالتى كسرطان ثدى ، وقد آمنت حقاً فى قلبى وبإيمانى القوى أننى شفيت بالفعل . أقول كل يوم "الحمد لله على شفائى "ومراراً وتكراراً أستمر أقول : "الحمد لله على شفائى" آمنت فى قلبى أننى شفيت . رأيت نفسى كما لو أن السرطان لم يقرب جسدى مطلقاً .

من الأشياء التى قمت بها لمعالجة نفسى : مشاهدة كل الأفلام المرحة. كان ذلك كل ما نقوم به ، مجرد الضحك ، الضحك والضحك . عملت أسرتى جاهدة على نزع أى ضغوط عن حياتى ؛ لأننا أدركنا أن الضغوط

كانت إحدى أسوأ الأشياء التى يمكن القيام بها أثناء علاج نفسك .

ومن وقت تشخيص حالتى إلى وقت علاجى كانت فترة ثلاثة شهور تقريباً ؛ وذلك بدون أى علاج إشعاعى أو كيماوى .

هذه القصة الجميلة والملهمة من " كاثى جودمان " تظهر ثلاث قوى هائلة فى حالة عمل: قوة الامتنان فى العلاج ، قوة الإيمان فى التلقى ، قوة الضحك والبهجة على شفاء المرض فى أجسادنا بإذن الله .

لقد أُلهِمَت كاثى أن تجعل الضحك جزءًا من علاجها ، بعد سماع قصة نورمان كوزنز .

شُخِّصَت حالة " نورمان " على أنها مرض " خبيث لا شفاء منه " . أخبره الأطباء بأن أمامه بضعة شهور ويقتله المرض . قرر " نورمان " أن يعالج نفسه . ولمدة ثلاثة شهور كل ما قام به كان مشاهدة الأفلام المرحة والضحك ، والضحك ولا شىء غير الضحك . غادر المرض جسده فى تلك الشهور الثلاثة ، واعتبر الأطباء شفاءه معجزة .

ومن خلال الضحك تخلص " نورمان " من كل السلبية ، وتخلص من المرض . الضحك حقًّا هو خير دواء .

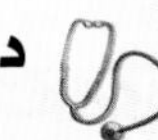

د. بين جونسون

نولد جميعاً ببرنامج أساسى متضمن فينا . يسمى هذا البرنامج "الشفاء الذاتى " . عندما تصاب بجرح ، يلتئم من تلقاء نفسه من جديد ، وإذا أصبت بعدوى بكتيرية يصل إليها الجهاز المناعى ويتعامل مع تلك البكتيريا ، ويعالج المسألة ، وقد خُلِق الجهاز المناعى ليعالج الجسد نفسه بنفسه .

بوب بروكتور

لا يمكن للمرض أن يعيش بداخل جسد يتحلى صاحبه بحالة عاطفية صحية. إن جسدك يهدر ملايين الخلايا فى كل ثانية ، كما أنه يخلق ملايين الخلايا الجديدة فى الوقت نفسه .

د. جون هاجلين

فى حقيقة الأمر هناك أجزاء من جسدنا يتم استبدالها تماماً فى كل يوم . هناك أجزاء أخرى تأخذ شهوراً معدودة ، وأخرى عامين أو نحو ذلك ، ولكن فى غضون بضعة أعوام يكون لكل منا جسد مادى جديد .

إذا كانت أجسادنا برمتها تتبدل فى غضون بضعة أعوام ، كما أثبت العلم ، فكيف إذن يمكن لذلك الانحلال أو المرض أن يبقى فى أجسادنا لأعوام ؟ لا يمكن أن يبقى فى أجسادنا إلا من خلال التفكير فيه ، عن طريق ملاحظة المرض ومراقبته ، وبتوجيه الانتباه للمرض .

تَحَلَّ بأفكار الكمال

تحل بأفكار الكمال . لا يمكن لمرض أن يوجد فى جسد يحظى بأفكار متناغمة ومنسجمة ، فلتعلم أنه لا يوجد إلا الكمال ، وعندما تلاحظ الكمال عليك أن تستدعيه إليك . إن أفكار القصور هى سبب جميع العلل الإنسانية ، بما فى ذلك الأمراض البدنية ، والفقر ، والبؤس . حين نفكر أفكاراً سلبية فإننا نبتعد بأنفسنا عن إرثنا الطبيعى . ردد ما يلى بثقة : " إننى أفكر أفكاراً مثالية . إننى لا أرى شيئاً سوى الكمال . أنا تجسد للكمال " .

لقد محوت كل فتاتة من تصلب فى مفاصلى و كل افتقاد للرشاقة خارج جسدى. ركزت على رؤية جسدى فى مرونة وروعة جسد طفل ، وكل تصلب وألم فى مفاصلى قد اختفى . وقد

حققت ذلك بين عشية وضحاها .

يمكنك أن ترى تلك المعتقدات التى تخص الكبر والشيخوخة جميعها راسخة فى عقولنا . يؤكد العلم أننا نحظى بجسد جديد كل فترة قصيرة جداً . الشيخوخة نتاج تفكير محدود، وهكذا فلتتخل عن تلك الأفكار من وعيك وأيقن أن جسدك عمره بضعة شهور فقط بصرف النظر عن عدد أعياد الميلاد التى مرت بك . أما عن يوم ميلادك القادم ، أسد إلى نفسك معروفاً واحتفل به كأول عيد ميلاد لك ! لا تغط كعكة عيد ميلادك بستين شمعة إلا إذا كنت تريد أن تجلب الشيخوخة إليك . وللأسف ، لدى المجتمع الغربى تركيز على التقدم فى السن ، وفى الواقع ليس هناك شىء كهذا .

تستطيع أن تحظى بالصحة المثالية من خلال تفكيرك ، ومن خلاله أيضاً تستطيع أن تحظى بالجسم والوزن المثاليين والشباب الدائم . يمكنك أن تحقق كل ذلك عن طريق تفكيرك المستمر والمتواصل فى الكمال والمثالية .

بوب بروكتور

إذا كنت تعانى من مرض ، وأنت تركز عليه ، وتتحدث عنه إلى الناس ، فلسوف تصنع المزيد من الخلايا المريضة . تخيل نفسك تعيش فى جسد معافى وصحى بصورة مثالية ودع الطبيب يهتم بأمر المرض .

أحد الأشياء التى يقوم بها الناس غالباً عندما يمرضون هو التحدث بشأن المرض طيلة الوقت ؛ وذلك لأنهم يفكرون بشأنه طيلة الوقت ، وهكذا فإنهم يعبرون عن أفكارهم لفظيًا . إذا كنت تشعر بتوعك خفيف ، فلا تتحدث بشأنه - إلا إذا كنت تريد المزيد منه ؛ فلتعلم أن

فكرتك كانت مسئولة عما حل بك . ردد هذه العبارة كثيراً بقدر ما تستطيع " أشعر بأننى فى حالة رائعة . أشعر بشعور طيب للغاية " . واستشعر بذلك حقاً . أما إذا كنت لا تحس بأنك على ما يرام وسألك أحد عن حالك ، فقط كن ممتناً لأن ذلك الشخص ذكرك بأن تفكر أفكاراً حول الشعور الطيب . لا تتفوه إلا بالكلمات التى تريد لها أن تكون .

لا يمكنك " التقاط " شىء ما إلا إذا كنت تعتقد أنك تستطيع ذلك ، واعتقادك أنك تستطيع التقاط أى شىء يستدعى المرض إليك من خلال تفكيرك . كما أنك تستدعى المرض إذا رحت تستمع لأشخاص يتحدثون عن مرضهم ؛ فإنك عندما تستمع تصب كل تفكيرك وتركيزك على المرض ، وعندما تمنح كل فكرك لشىء ما ، فإنك تطلبه وتسعى إليه . وأنت لا تساعدهم بلا شك ، إنك تضيف طاقة إلى مرضهم . إذا كنت حقًا تريد مساعدة الشخص المريض غَيِّر مسار الحديث نحو أمور طيبة ، لو استطعت ، أو ابتعد عنه قدر المستطاع ؛ وإذ تسير مبتعداً ، اجعل كل أفكارك ومشاعرك القوية تتركز حول رؤية ذلك الشخص فى صحة وسلامة ولا تفكر فى الأمر مرة أخرى .

ليزا نيكولس

لنقل إن لديك شخصين مصابين بشى ء ما ، فإن أحدهما يختار أن ير كز على البهجة . واحد يختار أن يعيش بالتفاؤل والأمل ، والتر كيز على جميع الأسباب التى تجعله مبتهجاً ومتفائلاً ، ومن ثم لديك الشخص الثانى ، بنفس تشخيص مرض الشخص الأول ، ولكنه يختار أن ير كز على المرض ، الألم ، والإشفاق على نفسه .

بوب دويل

عندما ير كز الناس تر كيزاً تاماً على ما يسوء بهم وعلى أعراضهم؛ فإنهم سوف يضاعفونها ويزيدونها . العلاج لن يحدث ما لم يحولوا

انتباههم عن حالة مرضهم إلى حالة الصحة والعافية ؛ لأن ذلك هو قانون الجذب .

" دعونا نتذكر دائماً قدر ما نستطيع أن كل فكرة سيئة هى فى الواقع شىء سيئ يتم وضعه فعليًا فى الجسد " .

" برنتيس ملفورد "

د . جون هاجلين

الأفكار الأكثر سعادة تقود إلى حالة كيميائية حيوية أكثر سعادة ، وإلى جسد أكثر صحة وسعادة . لقد ثبت أن الأفكار السلبية والضغوط تؤدى إلى ضرر حاد للجسد ولوظائف العقل ؛ وذلك لأن أفكارنا وعواطفنا هى المسئولة عن إعادة ضبط وتنظيم وتشكيل أجسادنا.

بصرف النظر عن مقدار ما أحللته بجسدك بواسطة أفكارك ، فإنه يمكنك تغيير ذلك من الداخل والخارج . ابدأ فى التحلى بأفكار سعيدة وابدأ فى أن تكون سعيداً . السعادة هى حالة *شعورية* من الوجود . إن إصبعك على زر " الشعور بالسعادة " اضغطه الآن وأبقه ضاغطاً عليه بشدة ، بصرف النظر عما يحدث من حولك .

د. بين جونسون

أبعد الضغط الفسيولوجى عن الجسد ، وسوف يؤدى الجسد ما هو مصمم من أجل القيام به ، سيعالج نفسه بنفسه .

ليس عليك أن تحارب وتناضل لكى تتخلص من مرض ما . إن مجرد العملية البسيطة المتمثلة فى التخلى عن الأفكار السلبية سوف تسمح لحالتك الطبيعية من الصحة أن تبزغ بداخلك ، وسوف يعالج جسدك نفسه بنفسه .

مايكل بيرنارد بيكويث

لقد شهدت كُلَى تتجدد وتستعيد نشاطها . وشهدت حالات سرطان تشفى تماماً ، وشهدت بصراً يتحسن ويعود إلى صاحبه بعد فقدانه .

كنت أضع نظارة قراءة على مدى قرابة ثلاثة أعوام قبل أن أكتشف السر . وذات ليلة بينما كنت أتتبع بعض خيوط المعرفة حول " السر " عبر القرون ، وجدت نفسى أتناول نظارتى لأرى ما كنت أقرؤه ، لكنى جمدت فى مكانى ، فإدراكى لما قمت به صعقنى مثل البرق .

قد استمعت إلى رسالة المجتمع التى تقول إن النظر يضعف مع التقدم فى العمر . لقد راقبت أشخاصاً يبذلون جهداً ضخماً حتى يستطيعوا قراءة شىء ما ، وقد أوليت فكرى إلى أن النظر يضعف مع التقدم فى العمر ، وقد جلبت ذلك إلى . لم أفعل ذلك عن عمد و قصد، لكننى *فعلته* . علمت أن ما جلبته للوجود بالأفكار يمكن لى تغييره ، وهكذا تخيلت نفسى على الفور أتمتع بنفس حدة البصر التى كنت أتمتع بها فى عمر الحادية والعشرين. تخيلت نفسى فى مطاعم ذات أضواء خافتة ، أو على متن طائرات أو أجلس إلى جهاز الكمبيوتر وأقرأ بوضوح وبلا جهد . وقلت مراراً وتكراراً : " أستطيع أن أرى بكل وضوح، أستطيع أن أرى بكل وضوح " . شعرت بمشاعر الامتنان والحماس لأننى أحظى برؤية واضحة .خلال ثلاثة أيام عاد بصرى لحالته ، والآن لا أضع نظارة قراءة . *أستطيع أن أرى بكل وضوح* .

عندما أخبرت د. " بين جونسون " ـ أحد المعلمين الذين ظهروا فى فيلم " السر " ـ بشأن ما فعلته ، قال لى : " هل تدركين ماذا حدث لعينيك حتى استطعت القيام بذلك فى ثلاثة

أيام؟ " فأجبت : " كلا ، والحمد لله أننى لم أعرف ، ولم تكن هذه الفكرة فى رأسى ! لقد علمت فقط أن بوسعى هذا ، وذلك ما أمكننى القيام به بسرعة .أحياناً تكون المعرفة الأقل أفضل ! "

قضى د . " جونسون " على مرض " عضال " فى جسده هو ، وهكذا فقد بدا استعادة بصرى أقرب إلى لا شىء بالنسبة له ، مقارنة بالقصة الإعجازية الخاصة به . فى حقيقة الأمر ، لقد توقعت أن تعود حدة بصرى بين عشية وضحاها وهكذا فإن عودتها فى غضون ثلاثة أيام لم يكن معجزة فى عقلى . تذكر أن الوقت والحجم ليس لهما وجود بالنسبة إلى الكون . إن علاج أى مرض هو بنفس سهولة علاج " بثرة " . عملية الشفاء واحدة ولكن يكمن الاختلاف فى عقولنا فقط . وهكذا إذا جذبت أى بلاء إلى نفسك فقلل منه فى عقلك إلى أن يصل لحجم " بثرة " ، تخل عن كل الأفكار السلبية ، ومن ثم ركز على تمام الصحة والعافية .

ليس هناك شىء لا يمكن علاجه

د. جون ديمارتينى

لطالما أقول إن أى مرض عضال يمكن علاجه من داخل الإنسان نفسه.

إننى أومن وأعرف أنه لا يوجد شىء لا يمكن علاجه . عند نقطة ما فى الزمن ، كل مرض زُعِمَ أنه غير قابل للعلاج تم الشفاء منه . فى عقلى ، وفى العالم الذى صنعته ، كلمة " مستحيل علاجه " ، لا وجود لها . هناك مكان رحب لك فى هذا العالم ، فانضم إلىَّ وإلى جميع الموجودين هنا .إنه العالم الذى تقع فيه " المعجزات " بصورة يومية . إنه عالم يتدفق بالوفرة والرخاء ؛ حيث توجد جميع الأشياء الطيبة الآن بداخلك أنت . هل يبدو لك هذا وكأنه النعيم ؟ إنه أقرب ما يكون إليه .

مايكل بيرنارد بيكويث

تستطيع أن تغير حياتك وتعالج نفسك بنفسك.

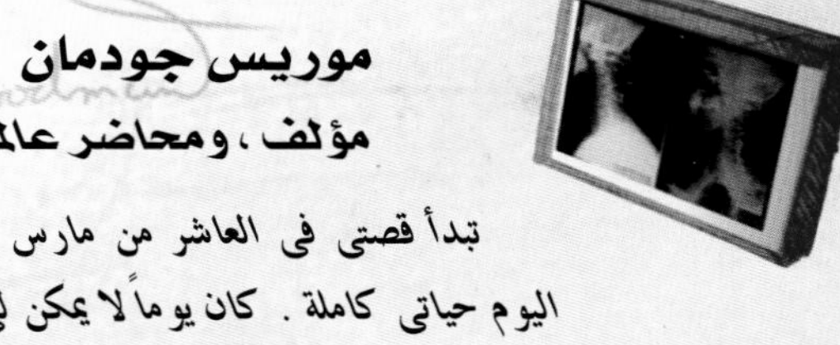

موريس جودمان

مؤلف، ومحاضر عالمى

تبدأ قصتى فى العاشر من مارس عام ١٩٨١ . وقد غير هذا اليوم حياتى كاملة . كان يوماً لا يمكن لى أن أنساه . تعرضت لحادث تحطم طائرة ووجدتنى فى المستشفى مشلولاً تماماً . كان عمودى الفقرى مهشماً ، وتحطمت الفقرتين العنقيتان الأولى والثانية، وحركة البلع عندى قد دمرت ، لم أستطع أن آكل أو أشرب ، تلف حجابى الحاجز ، لم أستطع التنفس . كل ما كان يمكننى القيام به أن أطرف بعينى ، وقال الأطباء بالطبع إننى سأكون حياً فى حالة جمود "مثل نبات" بقية حياتى . كل ما سيمكننى القيام به هو أن أطرف بعينى. تلك هى الصورة التى رأوها لى ، لكن لم يكن يهمنى ما كانوا يرونه. الشيء الأساسى كان هو ما أراه وأظنه أنا . تخيلت نفسى أعود شخصاً طبيعياً من جديد ، أسير خارجًا من المستشفى .

كان الشيء الوحيد الذى كان علىّ العمل عليه فى المستشفى هو عقلى، وما إن تمتلك زمام عقلك ، حتى تستطيع أن تضع كل الأشياء فى نصابها الصحيح .

كنت متصلاً بجهاز التنفس الصناعى وقالوا إننى لن أتنفس بصورة طبيعية مرة أخرى أبداً ؛ نظراً لتلف حجابى الحاجز . لكنّ صوتاً خافتاً ظل

يقول لى "تنفس بعمق ، تنفس بعمق ". وأخيراً لم أعد بحاجة لجهاز التنفس . لم يكن لديهم أى تفسير لذلك . لم أرغب فى أن أسمح لأى شىء بالدخول إلى عقلى ؛ مما قد يلهينى عن هدفى أو يأخذنى بعيداً عن حلمى .

لقد وضعت هدفاً أن أسير خارجاً من المستشفى بحلول العام الجديد ، وهكذا كان . سرت خارجاً من المستشفى على قدمى دون مساعدة . قالوا إن هذا غير ممكن الحدوث . ذلك اليوم لا يمكن لى أن أنساه .

بالنسبة للأشخاص الذين يجلسون فى هذه اللحظة ويتألمون ، إذا أردت أن أوجز حياتى ، وأن أوجز للناس ما يمكنهم القيام به فى حياتهم ، سوف ألخصها كلها فى العبارة التالية : "الإنسان ما هو إلا نتاج تفكيره".

"موريس جودمان " معروف بالرجل المعجزة ؛ وقد اختيرت قصته من أجل فيلم "السر" لأنها تستعرض القوة التى لا يمكن سبر غورها ، والإمكانية غير المحدودة للعقل الإنسانى. أدرك " موريس " القوة التى بداخله ، والقدرة على أن يحقق ما يختار التفكير بشأنه . كل شىء ممكن . لقد ألهمت قصة " موريس جودمان " آلاف البشر وشجعتهم على أن يفكروا ويتخيلوا ويشعروا بعودتهم إلى الصحة المثالية . لقد حول المحنة الأعظم فى حياته إلى المنحة الأعظم .

منذ إطلاق فيلم " السر " ، غمرنا سيل من قصص المعجزات التى تحقق فيها الشفاء لأشخاص مصابين بأمراض متعددة ، بعد مشاهدتهم فيلم "السر" . كل الأشياء ممكنة عندما نؤمن بها .

أود أن أنهى هذا الموضوع حول الصحة بتلك الكلمات النيرة من د . " بين جونسون " : " إننا الآن ندخل عهد طب الطاقة . كل شىء فى الكون له تردد ، وكل ما عليك القيام به هو تغيير التردد أو خلق تردد مضاد . تلك هى درجة سهولة تغيير أى شىء فى العالم ، سواء كان ذلك الأمر متعلقاً بالمرض أو العاطفة أو أيًا كان . هذا أمر هائل . هذا أضخم شىء توصل إليه البشر على الإطلاق ".

السر فى نقاط موجزة

- تأثير العلاج الإرضائى مجرد مثال على قانون الجذب فى حالة عمله . عندما يؤمن أحد المرضى حقًا بأن القرص علاج له ، فإنه يتلقى ما يؤمن به ويشفى .

- " التركيز على الصحة التامة " شىء يمكن لنا جميعاً القيام به بداخل أنفسنا ، بغض النظر عما يدور حولنا .

- الضحك يجذب البهجة ، ويطلق السلبية ، ويؤدى إلى حالات شفاء إعجازية .

- يحتبس المرض فى الجسد عن طريق الفكر ، من خلال مراقبة المرض ، وبالانتباه الممنوح للمرض . إذا كنت تشعر بوعكة طفيفة ، فلا تتحدث بشأنها - إلا إذا كنت تريد المزيد منها . إذا رحت تستمع إلى أشخاص يتحدثون بشأن مرضهم ، فإنك تضيف طاقة إلى مرضهم . وبدلاً من ذلك ، غَيِّر مسار المحادثة إلى أمور طيبة ، وركز أفكارك القوية على تخيل هؤلاء الأشخاص فى تمام الصحة .

- المعتقدات حول التقدم فى العمر كلها فى عقولنا ، فتخل عن تلك الأفكار . ركز على الصحة والشباب الأبدى .

- لا تستمع للرسائل التى يقدمها لك المجتمع بشأن الأمراض والتقدم فى العمر . الرسائل السلبية لا تعمل لصالحك .

HUMAN
FINANCIAL
CIVIC

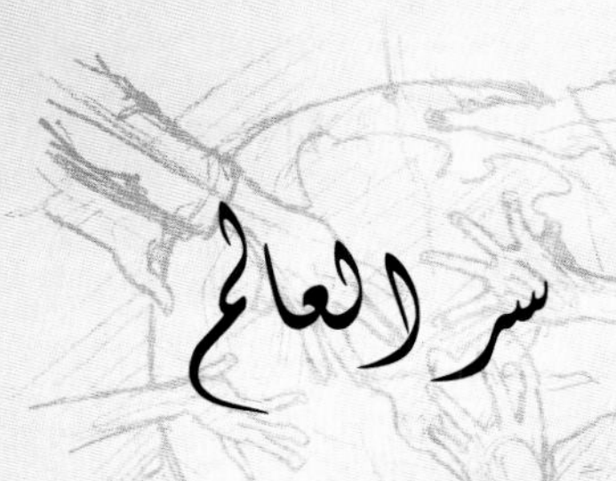

ليزا نيكولس

يميل الناس للنظر إلى الأشياء التى يريدونها ، وتجد أحدهم يقول : "نعم ، أود ذلك . أريد ذاك" . وبالرغم من هذا ، فإنهم ينظرون إلى الأشياء التى لا يريدونها ويمنحونها قدراً أكبر من الطاقة ، من خلال تفكيرهم فى محاولة القضاء عليها والتخلص منها ومحوها من الوجود ، فى مجتمعنا صرنا معتادين على محاربة أى شىء : محاربة السرطان ، محاربة الفقر ، محاربة الحرب ، محاربة المخدرات ، محاربة الإرهاب ، محاربة العنف ، نميل لمحاربة أى شىء لا نرغب فيه ؛ مما يخلق فى الحقيقة المزيد من الحرب.

هيل دوسكين

معلم ومؤلف كتاب THE SEDONA METHOD

أى شىء نركز عليه فإننا نخلقه ، وهكذا فإن كنا غاضبين حقاً ، على

سبيل المثال ، تجاه استمرار حرب ، أو مجاعة ، أو معاناة ، فإننا نضيف غضبنا إلى الأمر . إننا ندفع أنفسنا ، وذلك يخلق المقاومة فقط .

" كلما قاومت شيئاً زادت سطوته عليك " .

كارل يونج (١٨٧٥-١٩٦١)

بوب دويل

إن السبب فى أن ما تقاومه يسيطر عليك هو أنك عندما تقاوم شيئاً ما فإن الأمر يبدو و كأنك تقول : " لا ، أنا لا أريد هذا الشىء ؛ لأنه يجعلنى أحس بهذا الشعور - هذا الشعور الذى يراودنى الآن " ، وبهذا أنت تقول بإحساس قوى : " أنا لا أحب هذا الشعور " ، ومن ثم ستحس بالمزيد من هذا الشعور .

إن مقاومة أى شىء هى مثل محاولة تغيير الصور الخارجية بعد أن تكون قد بثت . إنه سعى لا جدوى منه . عليك أن تتجه إلى الداخل وتبث إشارة جديدة بأفكارك ومشاعرك لصنع صور جديدة .

وعندما تقاوم ما حدث فإنك تضيف المزيد من الطاقة والمزيد من القدرة على تلك الصورة التى لا تروق لك ، وتجلب المزيد منها بمعدل سريع جدًا . وبالتالى يتضخم الحدث أو الظروف ؛ لأن ذلك هو قانون الكون .

جاك كانفيلد

الحركة المناهضة للحرب تخلق المزيد من الحرب . الحركة المضادة للمخدرات قد خلقت بالفعل المزيد من المخدرات . لأننا نركز على ما لا نريده- المخدرات !

ليزا نيكولس

يعتقد الناس أننا إذا أردنا حقاً القضاء على شيء ما ، فلابد وأن نركز عليه . ما الجدوى التي قد نحققها في منح المشكلة المحددة كل طاقتنا بدلاً من أن نركز على الثقة ، والحب ، والعيش في رخاء ، والتعليم ، أو السلام ؟

جاك كانفيلد

كانت الأم " تريزا " شخصية ذكية ؛ لقد قالت : " لن أحضر أبداً تظاهرة مناهضة للحرب ، ولكن إذا كانت لديكم تظاهرة من أجل السلام ، ادعوني ". لقد كانت تعلم . كانت تفهم "السر "، وانظر إلى ما حققته في العالم .

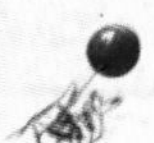

هيل دوسكين

إذا كنت من مناهضي الحرب ، كن داعياً للسلام بدلاً من ذلك . إن كنت من مناهضي الجوع ، كن داعياً لحصول الناس على ما يزيد عن كفايتهم لتناوله . إذا كنت مناهضاً لسياسي بعينه ، شجع منافسه . غالباً ما تكون نتائج الانتخابات لصالح الشخص الذي يرفضه الناس حقاً ؛ لأنه يحصل على كل الطاقة وكل التركيز .

كل شيء في العالم يبدأ من فكرة واحدة . الأشياء والأحداث الأكبر حجماً تصير أكبر لأن المزيد من الناس يمنحون أفكارهم لها بعد أن تظهر . وتلك الأفكار والعواطف تُبقِي على هذه الأحداث في وجودنا ، وتجعلها أكبر حجماً . وإذا خلصنا عقولنا منها وركزنا بدلاً من ذلك على الحب ، فإنها لن توجد . سوف تتبخر وتتلاشى .

" تذكر ، وهذه واحدة من أصعب الجمل على الفهم وأكثرها روعة .لذلك تذكر أنه بصرف النظر عن مقدار الصعوبة ، بصرف النظر عن المكان ، بصرف النظر عن المبتلى ، ليس لديك مريض إلا نفسك ؛ ليس لديك شىء لتقوم به إلا إقناع نفسك بالحقيقة التى ترغب أن تراها متجسدة " .

" تشارلز هانيل "

جاك كانفيلد

لا بأس من ملاحظة ما لا تريده ، لأن هذا يمنحك شيئاً عكسه تقول عنه: " هذا ما أريده " لكن الحقيقة هى أنك كلما تحدثت بشأن ما لا تريد ، أو تحدثت عن مدى سوئه ، أو قرأت حول ذلك طيلة الوقت ، ومن ثم تقول كم هو بشع ومروع – فإنك هكذا تصنع المزيد منه.

ليس بوسعك مد يد العون للعالم بتركيزك على الأشياء السلبية . فعندما تركز على الأحداث السلبية للعالم ، فإنك لا تضيف إليها وحسب ، إنما تجلب المزيد من الأشياء السلبية إلى حياتك فى الحين نفسه .

عندما تظهر الصورة بشىء لا تريده ، فإنه دورك لتغير من تفكيرك وتبث إشارة جديدة، ولو كان موقفاً دوليًا فلست بعاجز أو معدوم الحيلة . فلديك *كل* القدرة . ركز على كل شخص مبتهج . ركز على الوفرة فى الطعام . امنح أفكارك الفعالة لما تريده . لديك القدرة على منح الكثير للعالم من خلال بث مشاعر الحب والسلامة ، بغض النظر عما يجرى من حولك.

جيمس راى

فى أوقات عديدة للغاية يقول لي الناس " حسناً يا " جيمس " ، لابد أن أتزود بالمعلومات الضرورية " . ربما لابد علينا أن نتزود بالمعلومات الضرورية . ولكن لسنا مضطرين لأن تغمرنا المعلومات فى فيضها .

عندما اكتشفت " السر " اتخذت قراراً بألا أشاهد نشرة الأخبار أو أقرأ الصحف بعد ذلك ؛ لأن هذا لا يحمل لى شعوراً طيباً . لا يمكن لوم الخدمات الإخبارية والصحف على أى نحو لإذاعة الأخبار السيئة . ولكن كمجتمع عالمى ، فإننا مسئولون عن ذلك . فنحن نشترى المزيد من الصحف عندما تتصدر العناوين مأساة ضخمة . وترتفع معدلات مشاهدة القنوات الجديدة لتصل للسماء حين تقع كارثة وطنية أو عالمية . وهكذا فإن الخدمات الإخبارية والصحف تقدم لنا المزيد من الأنباء السيئة ؛ لأننا ، كمجتمع ـ نقول إننا نريد ذلك . الإعلام مجرد نتيجة ، ونحن السبب . إنه محض قانون الجذب فى حيز التطبيق !

الخدمات الإخبارية والصحف سوف تغير ما تقدمه لنا عندما نبث نحن إشارة جديدة ونركز على ما نريد .

مايكل بيرنارد بيكويث

تَعلَّم أن تصير هادئاً ، وأن تشيح انتباهك بعيداً عما لا تريد ، وكل الشحنة العاطفية المحيطة به ، وتضع انتباهك على ما تتمنى أن تعيشه . . . فالطاقة تتدفق حيث يوجد الانتباه .

" فكر بحق ، وسوف تكون أفكارك هى غذاء مجاعات العالم " .

" هوراشيو بونار " (١٨٠٨-١٨٨٩)

هل بدأت ترى القدرة غير العادية التى لديك فى هذا العالم ، فقط من خلال وجودك؟ وعندما تركز على الأمور الطيبة فإنك تشعر شعوراً طيباً ، وتجلب المزيد من الأشياء الطيبة إلى العالم . وفى الوقت نفسه ، فإنك تجلب المزيد من الأشياء الطيبة إلى حياتك . عندما تحس بشعور طيب فإنك تصلح حياتك ، وكذلك تصلح العالم !

القانون صارم فى عمله .

د. جون ديمارتينى

أقول على الدوام إنه حين يصير كل من الصوت والرؤية بداخلك أعمق وأوضح وأعلى صوتاً من الآراء التى بالخارج ، فإنك عندئذ تكون قد سيطرت على حياتك !

ليزا نيكولس

ليست مهمتك هى تغيير العالم ، أو تغيير الناس المحيطين بك ، إنما مهمتك هى أن تسير مع التيار المتدفق بداخل الكون ، وأن تمجده بداخل العالم الذى يوجد .

أنت سيد حياتك ، والكون مسخر لإطاعة أوامرك . لا تكن مستسلماً للصور التى ظهرت أمامك إذا لم تكن هى ما تنشده . تحمل المسئولية عنها ، استخف بها وتخل عنها . فكر بأفكار جديدة حول ما تريده ، استشعرها ، وكن ممتناً لتحققها .

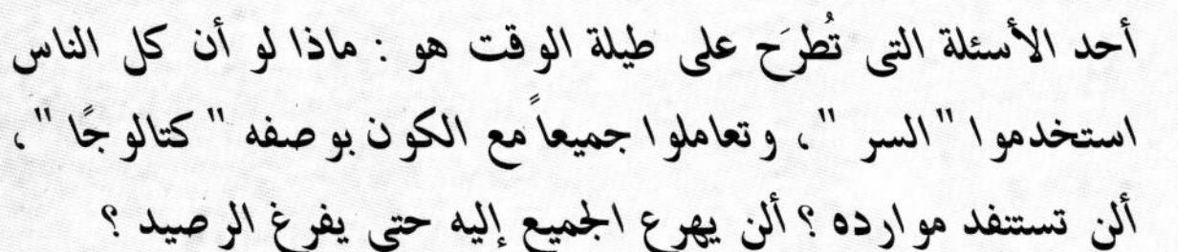

د . جو فيتال

أحد الأسئلة التى تُطرَح على طيلة الوقت هو : ماذا لو أن كل الناس استخدموا "السر"، وتعاملوا جميعاً مع الكون بوصفه "كتالوجًا"، ألن تستنفد موارده ؟ ألن يهرع الجميع إليه حتى يفرغ الرصيد ؟

مايكل بيرنارد بيكويث

الشيء الجميل بشأن تعليم "السر" هو أن هناك أكثر مما فيه الكفاية لسد احتياجات الجميع .

ثمة كذبة تعمل عمل الفيروس بداخل عقل الإنسانية . وتلك الكذبة هى : "ليس هناك ما يكفى من الخير للجميع . هناك نقص وهناك حدود وقيود ولا يوجد ما يكفى الجميع"، وتجعل تلك الكذبة الناس يعيشون فى الخوف ، والجشع ، والحقد ، وتلك الأفكار الخاصة بالخوف، والجشع ، والحقد ، والنقص تصير هى الواقع الذى يعيشونه ، وهكذا يتناول العالم قرصاً يدفع به إلى كابوس .

والحقيقة هى أن هناك أكثر من الكفاية من الخير . وأكثر مما يكفى من الأفكار الإبداعية ، وأكثر مما يكفى من الطاقة ومن الحب . أكثر مما يكفى من البهجة، وهذا كله يبدأ فى التدفق إلى العقل الذى يدرك طبيعته غير المحدودة .

معنى أن تعتقد بأنه ليس هناك ما فيه الكفاية هو أن تنظر نحو الصور الخارجية وتظن أن كل شىء ينبع من الخارج . وحين تفعل ذلك ، ستصير فى أغلب الأوقات لا ترى إلا النقص والقيود و القصور . إنك تعلم الآن أنه لا شىء يأتى إلى الوجود من الخارج ، وأن كل شىء يأتى أولاً من التفكير والشعور به فى الداخل . عقلك هو القوة الإبداعية لكل الأشياء . وهكذا كيف يمكن أن يكون هناك أى نقص أو افتقار ؟ إنه أمر مستحيل . إن قدرتك على التفكير غير محدودة ، وبالتالى فإن الأشياء التى يمكنك إيجادها عن طريق التفكير غير محدودة كذلك . وهكذا هو الحال بالنسبة للجميع ؛ فعندما تعلم هذا حقًا ، فإنك بذلك تفكر بعقل يعلم طبيعته التى لا تحدها قيود ولا حدود .

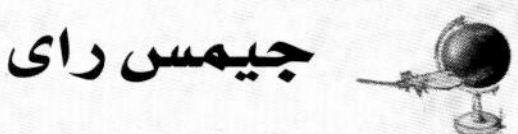

جيمس راى

كل معلم عظيم ولد على وجه الأرض قد أخبر كم أن الأصل فى الحياة هو الوفرة وسعة الخير .

> **« جوهر هذا القانون هو أنك لابد أن تفكر تفكيراً يتسم بالوفرة ويتمحور حولها ؛ أن ترى هذه الوفرة ، وتشعر بها ، وتؤمن بها . لا تسمح لأى فكرة تخص النقص والافتقار أن تمر إلى عقلك " .**

" روبرت كولير "

جون أساراف

وهكذا فحين نعتقد أن الموارد تتناقص ، نجد موارد جديدة يمكنها تحقيق الأمور ذاتها .

تعد القصة الحقيقية لفريق عمل شركة " بيليز أويل " مثالاً ملهماً لقوة العقل البشرى

على العثور على الموارد . كان قد تم تدريب مدراء شركة " بيليز ناتشورال إنرجى ليمتد" على يد الشهير د. " تونى كوين " ، المتخصص فى التدريب السيكولوجيى الإنسانى . من خلال تدريب د. " كوين " على استخدام قوة العقل ، صار المدراء على ثقة من أن صورتهم الذهنية لتحويل " بيليز " إلى شركة إنتاج بترول ناجحة سوف تصبح حقيقية . واتخذوا خطوة شجاعة إلى الأمام قدماً للتنقيب عن البترول فى مرصد أسبانى ، وخلال عام واحد قصير تحول حلمهم ورؤيتهم إلى حقيقة . وقد اكتشفت الشركة بترولاً من أجود الأنواع، وبكميات وفيرة فى المكان نفسه الذى أخفقت الشركات الأخرى فى العثور فيه على أى كمية. صارت شركة " بيليز " شركة إنتاج بترول ؛ لأن فريق عمل غير عادى آمن أفراده بالقدرة غير المحدودة لعقولهم .

لا شىء محدود. لا الموارد ولا أى شىء آخر . لكن العقل الإنسانى فقط يعتقد ذلك . عندما تتفتح عقولنا على القدرة الإبداعية غير المحدودة ، سوف نستدعى الوفرة ونرى ونعيش عالماً جديداً كليًا .

د. جون ديمارتينى

حتى لو قلنا إن لدينا قصوراً وافتقاراً ؛ فذلك لأننا لا نوسع من آفاقنا لرؤية كل ما يحيط بنا .

د. جو فيتال

اعلم أنه حينما يبدأ الناس فى العيش من صميم أفئدتهم ، ويسعون صوب ما ينشدون ، فإنهم لا يسعون وراء الأشياء نفسها ، وهنا يكمن جمال الأمر؛ فلسنا جميعاً نرغب فى امتلاك سيارات "بى إم دبليو ". ولا نريد جميعاً الارتباط بالشخص نفسه ، ولا نريد جميعاً عيش نفس التجارب والخبرات . لا نريد جميعاً ارتداء الملابس نفسها. لا نريد جميعاً . . . (املأ الفراغ) .

أنت هنا فوق هذا الكوكب المبارك السعيد ، وتحظى بهذه القدرة الرائعة من أجل أن تصنع حياتك ! ما من حدود أمام ما تستطيع أن تصنعه لنفسك ؛ ذلك لأن قدرتك على التفكير ليس لها حدود ، ولكنك لا تستطيع أن تصنع حياة الأشخاص الآخرين بدلاً منهم . ولا يمكنك أن تفكر بدلاً منهم ، وإذا ما حاولت أن تفرض آراءك على الآخرين فلن تجذب إليك إلا القوى المماثلة لهذا ؛ لذا دع الآخرين يصنعون حياتهم التى ينشدونها .

مايكل بيرنارد بيكويث

هناك ما يكفى للجميع . إذا آمنت بذلك ، ورأيته ، وتصرفت انطلاقاً منه ، فسوف يتجلى أمامك ، تلك هى الحقيقة .

> **" إذا كان ينقصك أى شىء ، إذا سقطت فريسة للفقر أو المرض ؛ فذلك لأنك لا تؤمن أو لا تفهم القدرة التى تحظى بها . ليست المسألة هى ما منحه لك الخالق . فهو يمنح كل شىء لجميع الناس " .**

"روبرت كولير"

يقدم الخالق كل الأشياء لكل الناس من خلال قانون الجذب . إنك تمتلك القدرة على اختيار ما تريد أن تعيشه . ألا تريد أن يكون هناك ما يكفى لك وللجميع . اختر ذلك إذن واعلم أن " هناك وفرة من كل شىء " . " هناك معين لا ينضب " . هناك الكثير من الأمور الرائعة " . لدى كل منا القدرة على اللجوء إلى ذلك المدد الخفى غير المحدود من خلال

أفكارنا ومشاعرنا ، وجلبه إلى حياتنا فاختر لنفسك إذن ؛ لأنك الشخص الوحيد الذى يستطيع هذا .

ليزا نيكولس

كل شيء تريده ، كل البهجة ، الحب ، الوفرة ، السعة ، النعمة ـ موجود ، جاهز لكى تحكم عليه قبضتك . وعليك أن تصير شديد التوق إليه ، وعليك أن تكون واعياً قاصداً . وحين تعقد النية وتحث السعى نحو مقصدك ، سوف تجد فى الكون كل شيء تكون قد رغبت فيه . تعرف على الأشياء الجميلة والرائعة من حولك ، باركها وأثن عليها. وعلى الجانب الآخر ، فإن الأشياء التى لا تمضى حالياً على النحو المنشود بالنسبة لك ، لا تنفق طاقتك فى الانتقاد والشكوى منها . اعتز بكل شيء تريده بحيث تحصل على المزيد منه .

إن كلمات " ليزا " الحكيمة ، بأن " تبارك وتثنى على " الأشياء المحيطة بك ، تقدر وزنها بميزان الذهب . بارك وأثن على كل شيء فى حياتك ! فحين تمتن أو تبارك تكون على التردد الأسمى للحب ؛ فقد استعان رجال الدين بهذه المباركة لتحقيق الصحة ، والثروة ، والسعادة .لقد علموا قدرة المباركة . وللأسف لا يستعين معظم الناس بكلمة المباركة إلا فى مناسبات محدودة ، وهكذا لا يستخدمون إحدى أعظم القوى لمصالحهم ورخائهم . وتعرف بعض القواميس المباركة على أنها " طلب الخير الإلهي ومنح السلامة أو الرخاء " ، وهكذا فلتبدأ الآن فى طلب المباركة فى حياتك ، وبارك كل شيء وكل شخص . ومثل ذلك الثناء؛ لأنك حين تثنى على شخص ما أو شيء ما فإنك تمنح الحب ؛ وعندما تبث ذلك التردد الهائل ، سوف يعود إليك مضاعفاً مائة مرة .

الثناء والمباركة يذهبان بكل السلبية ، فأثن وبارك أعداءك ، فعندما تلعن أعداءك ، ترتد اللعنة إليك وتؤذيك . وإذا ما أثنيت عليهم وباركتهم سوف تبدد كل السلبية والخلاف ، وسوف يعود إليك الحب الخاص بالثناء والمباركة؛ وعندما تثنى وتبارك ، ستشعر بنفسك تتحول إلى تردد جديد ومعه المردود الخاص بالمشاعر الطيبة .

د. دينيس ويتلى

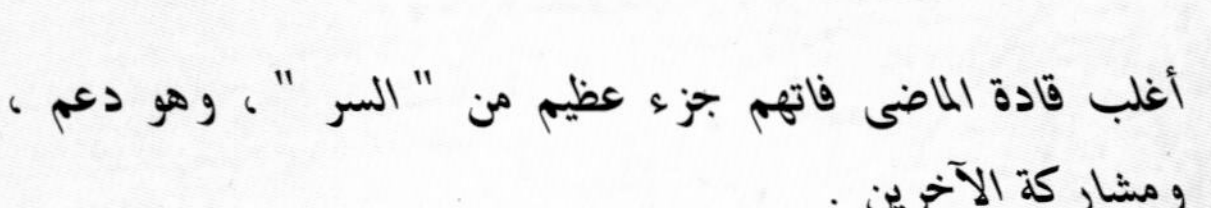

أغلب قادة الماضى فاتهم جزء عظيم من " السر " ، وهو دعم ، ومشاركة الآخرين .

هذا هو أفضل وقت يمكن العيش فيه عبر التاريخ كله . إنه أول وقت اكتسبنا فيه القدرة على المعرفة بمنتهى السهولة والبساطة .

بهذه المعرفة تصير مدركاً لحقيقة العالم ، وحقيقة نفسك . أعظم ما اكتشفته فيما يخص"السر" حول موضوع العالم ينبع من تعاليم " روبرت كولير" ، وبرنتيس ملفورد " ، و "تشارلز هانيل " ، و " مايكل بيرنارد بيكويث " ؛ فقد وصلنا بذلك الفهم إلى الحرية التامة. أرجو حقًا أن تستطيع الوصول إلى موضع تلك الحرية نفسها . إذا استطعت ، فعندئذ سوف تستطيع ـ من خلال وجودك وقوة أفكارك ـ أن تجلب أعظم خير لهذا العالم ولمستقبل الإنسانية كلها .

السر فى نقاط موجزة

- ما تقاومه سوف تجذبه ؛ لأنك تركز تركيزاً قويًا عليها بمشاعرك . لكى تغير أى شىء ، اتجه إلى داخلك وبث إشارة جديدة بأفكارك ومشاعرك .

- لا تستطيع مد يد العون للعالم بالتركيز على الأمور السلبية . فعندما تركز على أحداث العالم السلبية ، فإنك تضيف إليها ، ليس هذا وحسب ، لكنك أيضاً تجلب المزيد من الأمور السلبية إلى حياتك أنت .

- بدلاً من التركيز على مشكلات العالم ، امنح انتباهك وطاقتك للثقة ، والحب، والوفرة ، والعلم ، والسلام .

- لن تنفد الأشياء الطيبة أبداً من بين يديك ؛ لأن هناك أكثر من الكفاية للجميع ، والحياة من طبيعتها السخاء والوفرة .

- لديك القدرة على أن تلجأ إلى المعين الذى لا ينضب عبر أفكارك ومشاعرك وتجلبه إلى تجاربك فى الحياة .

- بارك واعتز بكل شىء فى العالم ، وسوف تبدد الطاقة السلبية والخلاف والتشاحن وسوف تتحالف مع التردد الأسمى ـ ألا وهو الحب .

السر لاكتشاف نفسك

د. جون هاجلين

عندما ننظر حولنا ، وحتى حين ننظر نحو أجسادنا ، فما نراه ليس سوى قمة الجبل الجليدى .

بوب بروكتور

فكر فى هذا لمدة دقيقة . انظر إلى يدك . إنها تبدو صلبة ، لكنها ليست كذلك . فإذا وضعتها تحت مجهر دقيق سوف ترى كتلة هائلة من طاقة متذبذبة .

جون أساراف

كل شىء مكون من المادة نفسها ، سواء كان ذلك هو يدك ، أم المحيط، أم نجم من النجوم .

د. بين جونسون

كل شىء هو طاقة ، ودعنى أساعدك على فهم ذلك قليلاً . هناك

الكون، مجرتنا ، كوكبنا ، ثم هناك الأفراد ، ثم هناك بداخل هذا الجسد أنظمة وأجهزة وأعضاء ، ثم هنا الخلايا ، ثم الجزيئات ، ثم الذرات . ثم هناك الطاقة . وهكذا هناك الكثير من المستويات يمكن التفكير بشأنها ، لكن كل شيء فى الكون هو طاقة .

عندما اكتشفت " السر " ، أردت أن أعلم ما أدركه كل من العلم والفيزياء فيما يخص هذه المعرفة . وما تبينته كان مدهشاً غاية الدهشة . وأحد أكثر الأشياء إثارة بشأن العيش فى هذا الزمن هو أن اكتشافات الفيزياء الكمية والعلم الجديد فى تناغم تام مع تعاليم "السر" ، ومع ما قد عرفه جميع المعلمين العظام على مدار التاريخ .

لم أدرس قط العلوم الطبيعية أو الفيزياء خلال المرحلة الدراسية ، ومع ذلك ، حين قرأت كتباً معقدة عن الفيزياء الكمية قد فهمتها فهماً تاماً لأنني أردت أن أفهمها . ساعدتنى دراسة الفيزياء الكمية على أن أحظى بفهم أعمق " للسر " على مستوى الطاقة . بالنسبة لمعظم الناس ، يترسخ معتقدهم عندما يرون التوافق التام بين معرفة السر ونظريات العلوم الجديدة .

دعنى أشرح كيف تمثل أنت أكثر برج بث فعالية فى الكون . بتعبيرات بسيطة ، كل الطاقة تتذبذب فى شكل تردد . وبوصفك نوعاً من الطاقة ، فإنك تتذبذب كذلك فى شكل تردد ، وما يحدد ترددك فى أى وقت هو ما تفكر فيه مهما كان وما تشعر به مهما كان . كل الأشياء التى تريدها مصنوعة من الطاقة ، وهى ذات ذبذبة أيضاً . *كل شىء هو طاقة* .

وإليك عنصر " التعجب " . عندما تفكر بشأن ما تريد ، وتبث ذلك التردد ، فإنك تجعل طاقة ما تريده تتذبذب على ذلك التردد وتجذبه نحوك ! وعندما تركز على ما تريد،

فإنك تغير من ذبذبة الذرات الخاصة بذلك الشىء ، وتؤدى إلى أن يتذبذب نحوك . والسبب فى أنك أكثر برج بث فعالية فى الكون هو لأنك لديك القدرة على تركيز طاقتك عبر أفكارك وتحويل الذبذبات التى تركز عليها ؛ مما يجذبها عندئذ إليك .

عندما تفكر بشأن تلك الأشياء الطيبة التى تريدها وتشعر بها ، فإنك تحول نفسك فى الحال إلى ذلك التردد ؛ مما يؤدى بطاقة كل تلك الأشياء للتذبذب نحوك ، وتظهر فى حياتك . يقول قانون الجذب إن الشبيه يجذب شبيهه .إنك مغناطيس طاقة ، فإنك تشحن كل شىء ترغبه كهربياً وتشحن نفسك كهربياً نحو كل شىء تريده . ينظم الإنسان طاقته المغناطيسية ، لأنه ما من أحد غيره يستطيع أن يفكر أو يحس نيابة عنه ، والأفكار والمشاعر هى التى تخلق تردداتنا .

قبل حوالى مائة عام ، وبدون المعرفة التى انبثقت من جميع الاكتشافات العلمية التى تمت فى المائة عام الأخيرة ، كان " تشارلز هانيل " يعلم كيف يعمل الكون .

> " العقل الكونى ليس مجرد ذكاء وحسب ، لكنه مادة ، وهذه المادة هى القوة الجاذبة التى تضم الإلكترونات معاً بقانون الجذب بحيث تكون الذرات ؛ والذرات بدورها تجتمع معاً بالقانون نفسه وتكون الجزئيات ؛ الجزئيات تتخذ أشكالاً ملموسة، وهكذا نجد أن القانون هو القوة المبدعة وراء كل ظاهرة مرئية لنا ، ليس فقط بالنسبة للذرات ، ولكن بالنسبة للعوالم ، وللكون ، ولكل

شىء يمكن للخيال أن يكون منه أى شىء مفهوم".

" تشارلز هانيل "

بوب بروكتور

لا أعبأ بأى مدينة تعيش ؛ فلديك قدرة كافية فى جسدك ، وطاقة محتملة، لإنارة المدينة بكاملها قرابة أسبوع .

" لكى تصير واعياً بهذه القدرة يجب أن تصير " سلكاً كهربيّاً تسرى به الطاقة " . الكون هو سلك كهربى يحمل الطاقة الكافية لتجسيد كل موقف فى الحياة لكل شخص . حين يلمس العقل الفردى العقل الكونى ، فإنه يتلقى كل قواه " .

" تشارلز هانيل "

جيمس راى

يُعرِّف معظم الناس أنفسهم بهذا الجسد المحدود ، لكنك لست جسداً محدوداً . حتى تحت ميكروسكوب فإنك تظهر كمجال للطاقة . وما نعلمه عن الطاقة هو هذا : إنك تمضى إلى أحد علماء الفيزياء الكمية

وتسأله : " مم يتكون العالم ؟ فيجيبك قائلاً : " يتكون من الطاقة". فتسأله أنت بدورك : " حسناً ، فلتصف الطاقة " وسوف يجيبك : " حسناً ، الطاقة لا تفنى ولا تستحدث ، ولطالما كانت كذلك ، كل شيء وجد ذات مرة يوجد دائماً ويظل ينتقل من شكل إلى شكل".

وهكذا فإذا كنت تعتقد أنك لست سوى هذه "الحلة البدنية الفانية"، فأعد التفكير . أنت كائن روحي ! إنك مجال طاقة ، تعيش في مجال أوسع من الطاقة .

كيف يمكن لكل هذا أن يجعلك كائناً روحيّاً ؟ بالنسبة لي ، فإن إجابة ذلك السؤال هي أحد أهم أجزاء تعاليم " السر " وأكثرها مغزى . إنك طاقة ، والطاقة لا تفنى ولا تستحدث. الطاقة تغير شكلها وحسب . وهذا يصدق عليك ! هذا هو جوهرك الحقيقي ، طاقتك الخالصة ، لطالما وجدت دائماً وسوف توجد إلى الأبد . لا يمكن أبداً ألا توجد .

على مستوى عميق ، أنت تعلم ذلك . هل يمكنك تخيل عدم وجودك ؟ فعلى الرغم من كل شيء قد رأيته وعشته في حياتك ، هل يمكنك تخيل عدم وجودك ؟ لا يمكنك تخيل ذلك ، لأنه مستحيل ، إنك طاقة أبدية .

العقل الكوني الواحد

د. جون هاجلين

الميكانيكا الكمية تؤكد ذلك . وعلم الكون الكمى يؤكد ذلك ، وهما يؤكدان أن الكون بزغ فى الأساس من الفكر ، وكل هذه المادة المحيطة بنا هى فقط فكر مترسب . وبشكل مطلق فإننا منبع الكون ، وعندما نفهم هذه القوة التى نمتلكها من خلال التجارب الحياتية ، فإننا نبدأ فى ممارسة سلطاتنا ونبدأ فى تحقيق المزيد مما نرجوه . اصنع أى شىء . اعلم أن أى شىء من داخل مجال إدراكنا هو فى نهاية الأمر مستقى من الوعى الكونى الذى يدير كل ما فى حياتنا .

وهكذا فعلى حسب طريقة استخدامنا لتلك القدرة ، إيجابياً أو سلبياً يكون شكل الجسد بالنسبة للصحة ، ويكون شكل البيئة التى نصنعها. إذن نحن نستطيع تشكيل وتغيير حياتنا ، وليس فقط حياتنا، وإنما يمكننا تغيير شكل الكون كله . وهكذا فما من حدود للقدرة الإنسانية. إنها الدرجة التى نسخر فيها طاقتنا وقدرتنا ؛ وذلك ما يجب أن يحدث من جديد مع المستوى الذى نفكر عنده .

قام بعض المعلمين والعلماء العظام بوصف الكون بالطريقة نفسها التى وصفها د. "هاجلين" بقولهم إن ما يحكم الكون وكل ما فيه هو قدرة الخالق وليس ثمة موضع لا يوجد به

القدرة الإلهية والطاقة الكونية تستمد قوتها من الله . وهى تمثل الذكاء ، والحكمة والمثالية التامة .

دعنى أساعدك على فهم معنى ذلك بالنسبة لك . معناه أن كل احتمال وإمكانية محلها العقل. كل معرفة ، كل الاكتشافات ، وكل اختراعات المستقبل ، توجد فى العقل الكونى كاحتمالات ، بانتظار العقل الإنسانى لسحبها قدماً . كل إبداع وابتكار فى التاريخ قد تم سحبه من العقل الكونى ، سواء كان الشخص عالماً بذلك عن وعى وقصد أم لا .

كيف تستفيد من العقل الكونى ؟ تقوم بذلك من خلال وعيك به ، وباستخدام خيالك الرائع . انظر حولك بحثاً عن الاحتياجات التى تنتظر تلبيتها . تخيل لو أن لدينا اختراعاً عظيماً للقيام بهذا . ابحث عن الاحتياجات ، ثم تخيل وفكر فى جلب طرق لبيتها للوجود. ليس عليك أن تتوصل إلى الاكتشاف أو الاختراق ؛ فذلك بيد الخالق . كل ما عليك القيام به هو أن تسلط كل تفكيرك على النتيجة النهائية وتتخيل تلبية الاحتياج، وسوف تدعوها للوجود ، وعندما تطلب وتشعر وتصدق ، فسوف تتلقى ما تنشده . ثمة معين غير محدود من الأفكار ينتظر لجوءك إليه واستدعاءه . إنك تحتفظ بكل شىء فى وعيك .

" الكيان الإلهى هو الحقيقة الوحيدة " .

" تشارلز فيلمور "

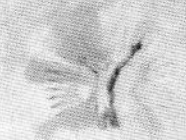

جون أساراف

إننا جميعاً متصلون . نحن فقط لا نرى هذا . فلا يوجد "شيء بالخارج" و" شيء بالداخل" . كل شيء في الكون متصل . إنه مجال طاقة واحد .

وعلى هذا فأياً تكن الطريقة التى تنظر بها للأمر تبقى النتيجة هى نفسها . إننا كيان واحد . جميعنا متصلون ، جميعنا جزء من مجال طاقة واحد ، أو عقل كونى واحد ، أو وعى واحد ، أو منبع واحد . سمه ما شئت من أسماء ، لكننا جميعاً هذا الكيان .

إذا فكرت بشأن قانون الجذب الآن ، من ناحية كوننا جميعاً كياناً واحداً ، فسوف ترى كماله المطلق .

سوف تفهم سبب أن أفكارك السلبية بشأن شخص ما سوف تعود وحسب لتؤذيك ؛ ذلك لأننا شيء واحد ! لا يمكن لك أن تتأذى ما لم تدع الأذى للوجود عن طريق بث تلك الأفكار والمشاعر السلبية . لقد مُنِحت إرادة حرة لكى تختار، ولكن حينما تفكر أفكاراً سلبية وتحس بمشاعر سلبية فإنك تفصل نفسك بهذا عن الخير الواحد والكلى . فكر بشأن كل عاطفة سلبية توجد ،وسوف تكتشف أن كل واحدة منها تقوم على الخوف . إنها تنبع من أفكار الإنفصال ومن رؤية نفسك منفصلاً عن الآخر .

والتنافس مثال الانفصال . أولاً : حينما تكون لديك أفكار منافسة ، فإنها تنبع من عقلية تعانى قصورًا ؛ فهذا معناه كما لو أنك تقول إن هناك مدداً محدوداً . كما لو أنك تقول إنه لا

يوجد ما يكفى للجميع ، وهكذا فيجب أن نتنافس ونتقاتل للحصول على الأشياء. وعندما تتنافس لا يمكنك أن تفوز مطلقاً ، حتى ولو اعتقدت أنك قد فزت وفقاً لقانون الجذب ، فعندما تنافس فسوف تجذب العديد من الأشخاص والظروف لتنافسك فى كل منحى من مناحى حياتك ، وفى النهاية سوف تخسر . إننا جميعاً كيان واحد ، وهكذا فحينما تنافس، فإنك تنافس نفسك . عليك أن تقصى المنافسة خارج عقلك ، وتصير عقلاً خلاقاً مبتكراً. ركز وحسب على أحلامك ، على رؤاك ، وصد كل منافسة خارج حياتك .

الكون هو المعين الذى لا ينضب من كل شىء . كل شىء ينبع من الكون ، ويصل إليك عبر الناس ، والظروف ، والأحداث ، عن طريق قانون الجذب فكر فى قانون الجذب بوصفه قانون الدعم . إنه القانون الذى يتيح لك أن تأخذ من المئونة غير المحدودة . حين تبث التردد المثالى لما تريد ، فإن كل ما هو مثالى ومناسب من أشخاص وظروف وأحداث سوف ينجذب إليك .

إن ما يمنحك الأشياء التى ترغبها ليس الأشخاص . وإذا استمسكت بذلك الاعتقاد الخاطئ سوف تعيش الافتقار ؛ لأنك تنظر إلى العالم الخارجى وإلى الأشخاص كمصدر للمدد والدعم . غير أن الدعم الحقيقى هو المجال الخفى ، الذى لا تراه ، والذى يأتى من عند الله سبحانه وتعالى . كلما تلقيت أى شىء ، تذكر أنك قد جذبته إليك عن طريق قانون الجذب ، وعن طريق وجودك على التردد المتناغم مع الدعم الكونى . إن الذكاء الكونى يسرى فى كل شىء ، فى الناس ، والظروف ، والأحداث ليمنحك ما ترجوه ، لأن ذلك هو القانون .

ليزا نيكولس

غالباً ما نصاب بالتشوش بالشيء الذى يدعى جسدنا أو كياننا المادى . ذلك الجسد يقيد روحك . وروحك كبيرة لدرجة أن تملأ غرفة . إنك تتحلى بروح لا تموت . أنت قبس من روح الله التى بثها فى آدم أبى البشر ، وخلقك فى أحسن تقويم .

مايكل بيرنارد بيكويث

وفقاً للأديان والكتب المقدسة يسعنا أن نقول إننا خلقنا على الصورة التى أرادها الله لنا. ويمكننا أن نقول إننا وسيلة أخرى من خلالها يدرك الكون ذاته ويمكننا أن نقول إننا المجال غير المحدود للإمكانية مطلقة السراح . وكل هذا سيكون صحيحاً .

" ٩٩ بالمائة من وجودك وكيانك خفىّ ومقدس "

" آر. باكمنستر فوللر " (١٨٩٥-١٩٨٣)

أنت قبس من روح الله . أنت روح تلبست لحماً ودماً . أنت حياة أبدية تكتشف ذاتها فى صورتك . أنت كيان كونى . أنت صاحب قدرة مطلقة ، حكمة ليس لها حدود ، وذكاء لا نهائى . أنت تجسيد للمثالية والروعة . أنت صانع شخصيتك ومصيرك على هذا الكوكب .

جيمس راى

كل تراث دينى يخبرك بأنك خلقت فى أحسن تقويم ، وأن الله أكرمك وفضلك على سائر مخلوقاته ؛ مما يعنى أن لديك تصريحاً إلهياً وقدرة سماوية لتصنع عالمك ، وتصنع ذاتك .

لعلك قد صنعت أشياءً ، حتى هذه النقطة ، تتسم بالروعة والقيمة بالنسبة إليك ، ولعلك لم تفعل . والسؤال الذى أود منك تأمله : " هل النتائج التى توصلت إليها فى حياتك هى ما تريده حقاً ؟ وهل هى ذات قيمة واستحقاق بالنسبة لك ؟" إذا لم تكن ذات قيمة بالنسبة لك ، إذن ألم يئن الأوان الآن لتغييرها ؟ لأنك لديك القدرة على القيام بذلك .

" كل قدرة تأتى من الداخل ؛وبالتالى فهى تحت السيطرة " .

" روبرت كولير "

أنت لست ماضيك

جاك كانفيلد

الكثير من الناس يشعرون وكأنهم ضحايا فى الحياة ، وسوف يشيرون فى الغالب إلى أحداث ماضية ، ربما من قبيل النشأة مع والد قاسٍ أو مع أسرة مفككة . يعتقد أغلب علماء النفس أن نسبة ٨٥٪ تقريباً من الأسر مفككة ، هكذا يمكنك أن ترى أنك لست وحدك فى هذا الأمر .

أبواي كانا مدمنين للكحوليات . أبى كان يؤذينى . أمى انفصلت عنه حين كان عمرى فى السادسة . . . أقصد أن تلك تقريباً القصة التى يرددها كل شخص بصيغة أو بأخرى ، والسؤال الحقيقى هو ما الذى سوف تقوم به الآن ؟ ما الذى تختاره الآن ؟ لأنه إما أن تواصل التركيز على تلك القصة ، وإما أن تستطيع أن تركز على ما تريده . وحين يبدأ الناس التركيز على ما

يريدونه ، فما لا يريدونه يسقط ويختفى ، وما يريدونه هو ما يتوسع ويمتد .

" إن الشخص الذى يوجه عقله تجاه الجانب المظلم من الحياة ، والذى يعيش مراراً وتكرارا حالات سوء الطالع والخسران وخيبة الأمل التى تنتمى للماضى ، فإنه يدعو ويطلب حالات شبيهة للمستقبل ؛ فعندما لا ترى شيئاً سوى سوء الطالع فى المستقبل ، فإنك تدعو وتبتهل من أجل سوء الطالع هذا فسوف يتحقق بكل تأكيد ".

" برنتيس مالفورد "

إذا استعدت أحداث حياتك وركزت على المصاعب التى تنتمى للماضى، فإنك تجلب فقط المزيد من الظروف الصعبة إليك الآن . تخلّ عن ذلك كله، بصرف النظر عما يكون . افعل ذلك من أجل نفسك . إذا حملت ضغينة أو لوماً تجاه شخص ما على شىء حدث فيما مضى، فإنك تؤذى نفسك وحسب . أنت الشخص الوحيد الذى يستطيع أن يصنع الحياة التى تستحقها . إذا ما ركزت قصداً أو عمداً على ما تريد ، وعندما تبدأ فى بث مشاعر طيبة ، فإن قانون الجذب سوف يستجيب . كل ما عليك القيام به هو أن تبدأ ، وعندما تفعل فسوف تطلق السحر وتحرره .

ليزا نيكولس

أنت مصمم مصيرك . أنت المؤلف . أنت كاتب القصة . القلم بين أصابعك ، والمحصلة هى ما تختاره أنت .

مايكل بيرنارد بيكويث

الشيء الجميل بخصوص قانون الجذب هو أنك تستطيع أن تبدأ من حيث أنت ، وأن تبدأ بالتفكير " تفكيراً حقيقياً" ويمكنك أن تبدأ في توليد شعور بداخلك يتسم بالتناغم والسعادة وسوف يبدأ القانون في الاستجابة لذلك .

د. جو فيتال

الآن سوف تبدأ بتبني معتقدات مختلفة ، من قبيل " هناك ما يزيد عن الكفاية في الكون "أو تقول لنفسك بثقة "إنني لا أتقدم في العمر ، بل أصير أكثر شباباً" . نستطيع أن نصنع ذلك على النحو الذى نريده، باستخدام قانون الجذب .

مايكل بيرنارد بيكويث

تستطيع أن تحرر نفسك من النماذج المتوارثة ، والقواعد الثقافية، والمعتقدات الاجتماعية ، وتثبت لنفسك أن الطاقة والقدرة التي بداخلك لهي أعظم قدراً من المقدرة التي بداخل العالم .

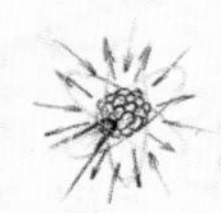

د. فريد آلان وولف

قد تفكر هكذا : " حسناً ، هذا لطيف جداً ، لكنى لا أستطيع القيام بهذا" ، "أو إنها لن تسمح لي بالقيام بذلك ! "أو "إنه لن يدعنى أن أقوم بذلك" أو" ليس لدى ما يكفى من المال للقيام بذلك . " أو"لست ثرياً بما يكفى للقيام بذلك ." أو" لست ، لست ، لست ، لست ".

كلمة "لست " فى حد ذاتها إبداع !

حاول أن تصير منتبهاً حين تقول " لست " وفكر بشأن ما تصنعه عندما تقول ذلك . ثمة رؤية قوية شاركنا بها د . " وولف " وقد استند إليها جميع المعلمين العظام خاصة بقوة عبارة" *إننى*" . حين تقول " إننى " فإن العبارات التى تتبعها تستدعى الخلق بقوة طاغية لأنك تعلنها لتكون حقيقة . إنك تصوغها بنبرة يقين . وهكذا فعلى الفور بعد أن تقول " إننى مرهق " أو " إننى مفلس " أو " إننى مريض " أو " إننى متأخر " أو إننى زائد الوزن " أو " إننى عجوز " فإن الجنى يقول " أوامرك مطاعة " .

بمعرفتك بهذا، ألن تكون فكرة طيبة أن تبدأ باستخدام العبارة الأكثر فاعلية ، وهى " إننى " لصالحك الخاص ؟ ماذا لو قلت : " إننى أتلقى كل شىء طيب . إننى سعيد . إننى فى سعة ووفرة ، إننى معافى صحياً . إننى محب . إننى دائماً أصل فى موعدى المحدد . إننى أتمتع بشباب أبدى . إننى مفعم بالطاقة كل يوم ".

يزعم "تشارلز هانيل " فى كتابه The Master Key System أن ثمة عبارة تأكيدية تشتمل على كل شىء يرغبه الإنسان ، وأن هذه العبارة سوف توفر كل الظروف المواتية لجلب كل الأشياء . ويضيف : " وسبب هذا هو أن هذه العبارة على صلة وثيقة بالحقيقة ، وحين تظهر الحقيقة ، فإن كل شكل من الخطأ أو الشقاق لابد أن يختفى بالضرورة " .

العبارة هى كالتالى : " إننى متكامل ، تام ، قوى ، قادر ، محب ، منسجم ، وسعيد . "

وإذا كان استقطاب ما تريده من عالم الخيال إلى عالم الواقع يبدو لك عملاً مجهدًا ، فانظر إلى ما تريده *كحقيقة* مطلقة . فهذا سوف يحقق ما تريد بسرعة الضوء فى الثانية

التى تطلبه فيها ، إنها *حقيقة* فى المجال الروحى الكونى ، وهذا المجال هو كل ما يوجد . عندما تقتنع بشىء فى عقلك كن واثقًا أنه *حقيقى* وأنه ما من شك فى إمكانية تحققه .

" ليس هناك حدود أمام ما يمكن لهذا القانون القيام به من أجلك ، فلتجرؤ على تصديق نموذجك المثالى ؛ فكر فيه كما لو كان حقيقة منجزة بالفعل " .

" تشارلز هانيل "

عندما أدخل " هنرى فورد " رؤيته حول العربات ذات المحرك فى عالمنا ، فقد تهكم عليه المحيطون به وظنوا أنه قد جن وهو يسعى وراء رؤية " جنونية " لكن " هنرى فورد " كان يعرف أكثر كثيراً من الأشخاص الذى تهكموا عليه ؛ لقد اطلع على " السر " وعرف قانون الكون .

"سواء اعتقدت أنك تستطيع شيئاً أو اعتقدت أنك لا تستطيع ، فستجد أنك محق فى الحالتين" .

" هنرى فورد " (١٨٦٣-١٩٤٧)

أتعتقد أنك تستطيع ؟ تستطيع أن تحقق وتقوم بأى شىء تريد بهذه المعرفة . فيما مضى ربما تكون قد قللت من شأن مدى ذكائك . حسناً ، إنك الآن تعرف أنك العقل

الأسمى وأنك تستطيع أن تسحب أى شىء تريد من ذلك العقل الأسمى . أى اختراع، أى إلهام ، أى إجابة، أى شىء . تستطيع القيام بأى شىء تريده . إنك عبقرى فذ ، فابدأ بترديد ذلك لنفسك وكن واعياً بما أنت عليه حقاً .

مايكل بيرنارد بيكويث

هل ثمة أى حدود لهذا ؟ كلا مطلقاً . إننا كائنات غير محدودة . ليس لدينا سقف . إن الإمكانيات والمواهب والقدرات والملكات الموجودة بداخل كل فرد يوجد على الكوكب هى غير محدودة .

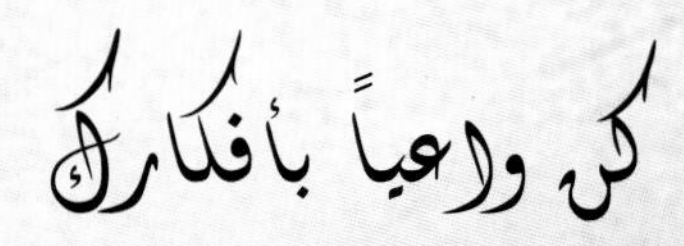

كل قدرتك تكمن فى وعيك بتلك القدرة ، ومن خلال *التشبث* بتلك القدرة فى وعيك .

يمكن لعقلك أن يكون أقرب إلى تيار متدفق بلا وجهة محددة وإذا لم تنتبه له يمكنه أن يأخذك إلى أفكار من الماضى ، ثم يقلك إلى أفكار حول مستقبلك . تلك الأفكار التى تخرج عن نطاق السيطرة تشارك فى الصنع هى الأخرى . عندما تكون منتبهاً ومدركاً ، فإنك تكون فى الحاضر وتعلم ما الذى تفكر فيه . لقد كسبت سيطرة على أفكارك ، وهنا تكمن كل قدرتك .

كيف إذن تصير أكثر انتباهاً وإدراكاً ؟ إحدى الطرق هى أن تتوقف وتسأل نفسك : " ما الذى أفكر فيه الآن ؟ ما الذى أشعر به الآن ؟ " اللحظة التى تسأل فيها تكون منتبهاً وواعياً، لأنك قد استدعيت عقلك ثانية إلى اللحظة الحاضرة .

متى ما فكرت فى هذا ، أعد نفسك من جديد للوعى باللحظة الحاضرة . قم بهذا مئات المرات كل يوم ؛ لأن - وتذكر ذلك - كل قدرتك تكمن بوعيك بها . يلخص " مايكل بيرنارد بيكويث " الوعى بهذه القدرة حين يقول : " تذكر أن تتذكر ! " صارت تلك الكلمات هى موضوع أغنية حياته .

لمساعدة نفسى على أن أكون أكثر وعياً ؛ حتى *أتذكر أن أتذكر فإننى* أطلب من الله أن يمدنى بإشارة تعيدنى إلى الحاضر متى سرح عقلى فى الماضى . وهذه الإشارة قد تتمثل فى سقوط شىء أو انطلاق جرس إنذار أو ما شابه . وكل تلك الإشارات تنذر بأننى سرحت بعقلى بعيداً وبالتالى تدفعنى إلى العودة للحاضر . عندما أتلقى تلك الإشارات أتوقف على الفور وأسأل نفسى : " ما الذى أفكر فيه ؟ ما الذى أشعر به ؟ هل أنا واعية ؟ " وبالطبع فى اللحظة التى أقوم فيها بذلك ، فإننى أكون واعية . فى اللحظة نفسها التى تسأل نفسك فيها إذا ما كنت واعياً ، تكون كذلك بالفعل . تكون واعياً .

" السر الحقيقى للقدرة هو الوعى بالقدرة " .

" تشارلز هانيل "

وعندما تصير واعياً بقدرة " السر " ، وتبدأ باستخدامه ، فإن جميع أسئلتك ستجد أجوبتها، وعندما تشرع فى اكتساب فهم أعمق لقانون الجذب سيمكنك أن تتخذ من طرح الأسئلة عادة لك ، وحينما تفعل ذلك سوف تتلقى الإجابة على كل منها . يمكنك أن تبدأ فى استخدام هذا الكتاب لهذا الغرض نفسه . " إذا كنت تسعى لجواب حول توجيه أو شىء ما فى حياتك ، اطرح سؤالاً ، وصدق أنك سوف تتلقاه ، ثم افتح هذا الكتاب عشوائياً ،والمكان

نفسه الذى ستفتح عنده الصفحات سيكون مرشداً لك وستجد فيه الإجابة التى تنشدها.

والحقيقة هى أن الله قد زودك من خلال الكون بكل الإجابات طوال حياتك ، لكنك لن تتمكن من تلقى الإجابات إلا إذا كنت واعياً بها . كن منتبهاً بكل شىء حولك ؛ لأنك تتلقى الإجابات على أسئلتك فى كل لحظة من لحظات اليوم . إن القنوات التى يمكن أن ترد عبرها تلك الإجابات غير محدودة . من الممكن أن تتمثل فى صورة عنوان الصحيفة اليومية الذى يجذب انتباهك ، أو الاستماع بالمصادفة لشخص يتحدث ، أو لأغنية فى الراديو ، أو لافتة على شاحنة تمر ، أو تلقى إلهاماً مفاجئاً . تذكر أن تتذكر ، وكن منتبهاً !

لقد تبينت من حياتى ومن حياة الآخرين أننا لا نفكر بشكل طيب فى أنفسنا ولا نحب أنفسنا حباً تاماً وكاملاً . وعدم حبنا لأنفسنا من شأنه أن يبعدنا عما نريد ، وحين لا نحب أنفسنا ، فإننا ندفع الأشياء بعيداً عنا بكل تأكيد .

كل شىء نريده ، أياً كان ، يدفعه حافز الحب . معايشة مشاعر *الحب* فى امتلاك تلك الأشياء - الشباب ، المال ، الشريك المثالى ، المهنة المثالية ، الجسد المثالى ، الصحة المثالية. ولكى نجذب الأشياء التى نحب لابد أن نبث الحب ونرسله ، وسوف تظهر الأشياء فى الحال.

الصعوبة تكمن فيما يلى ، فلكى تبث التردد الأسمى للحب ، عليك أن تحب نفسك ، ويمكن لذلك أن يكون عسيراً على الكثيرين . إذا ركزت على الخارج وعلى ما تراه الآن ، فقد تضلل نفسك بهذا ؛ لأن ما تراه وتشعر به حيال نفسك الآن هو نتيجة ما *اعتدت* التفكير فيه واعتقاده . إذا لم تحب نفسك ، فإن الشخص الذى تراه الآن غالباً يكون ممتلئاً بالهفوات وأوجه القصور التى وجدتها فى نفسك .

ولكى تحب نفسك تمام الحب ، عليك أن تركز على بعد جديد لشخصيتك . عليك أن تركز على الحاضر بداخلك . خذ دقيقة واجلس ثابتاً . ركز على شعور *حضور* الحياة بداخلك. وعندما تركز على *الحاضر* ، سوف يبدأ فى كشف ذاته أمام عينيك . الحاضر هو الحالة المثالية لك . هو ذاتك الحقيقية ؛ وعندما تركز على ذلك *الحاضر* وتشعر به ، وتحبه وتمتدحه ، سوف تحب نفسك تمام الحب ، ربما للمرة الأولى فى حياتك .

فى أى وقت تنظر فيه إلى نفسك بأعين منتقدة ، فلتحول تركيزك فى الحال إلى الحاضر بداخلك ، وبالتالى سوف يكشف نفسه لك . وعندما تفعل هذا ، فإن كل الهفوات والعيوب وأوجه القصور التى ظهرت فى حياتك سوف تتفكك وتتلاشى ، لأن العيوب لا يمكن أن توجد فى ضوء هذا الحضور . وسواء كنت تريد استعادة نظرك القوى ، أو تشفى من مرض وتستعيد سلامتك البدنية ، أو أن تحول الفقر إلى سعة ، أو تقلب الشيخوخة لاستعادة الحيوية والعافية ، أو أن تتخلص من أى سلبية ، فلتركز على الحاضر ولتحب الحاضر الذى بداخلك وسوف يتجلى النموذج المثالى التام .

" الحقيقة المطلقة هى أن ضمير " الأنا " تام وكامل؛ وأن ضمير " الأنا " الحقيقى هو روحى ولا يمكنه بالتالى أن يكون أقل من مثالى ؛ ولا يمكنه مطلقاً أن يعتريه نقص ، أو قصور أو مرض " .

" تشارلز هانيل "

السر فى نقاط موجزة

- كل شىء هو طاقة . إنك مغناطيس للطاقة ، وهكذا فإنك تشحن كهربيّاً كل شىء ترغبه، وتشحن نفسك كهربيّاً إلى كل شىء تريده .

- أنت كيان روحى، أنت طاقة ، والطاقة لا تفنى ولا تستحدث من عدم ، بل فقط تغير شكلها ، وبالتالى ، فإن الجوهر الصافى لك دائماً ما كان موجوداً ودائماً ما سيكون .

- يبزغ الكون من الفكر . نحن لا نصنع فقط مصيرنا الخاص ، ولكن كذلك نصنع الكون.

- هناك مئونة لا حدود لها من الأفكار متاحة لك . كل المعرفة والاكتشافات، والابتكارات موجودة فى الكون باعتبارها احتمالات تنتظر العقل البشرى لكى يسحبها ويحققها . إنك تمتلك كل شىء فى وعيك .

- إننا جميعاً متصلون ، ونحن جميعاً كيان واحد .

- تخلص من مصاعب الماضى ، قواعد الثقافة ، والمعتقدات الاجتماعية . أنت الوحيد الذى يمكنه أن يصنع الحياة التى تستحقها .

- الطريق المختصر لتحقيق رغباتك أن ترى ما تريد تحقيقه كحقيقة مطلقة

- إن قدرتك تكمن فى أفكارك ، فابق منتبهاً . بتعبير آخر " تذكر أن تتذكر " .

سر الحياة

نيل دونالد وولش

مؤلف ، ومحاضر دولى ، ومعالج روحانى .

ليس هناك ما يجبرك على تحديد مقصدك ، ورسالتك فى الحياة . ليس هناك من يقول: " دانيال دونالد وولش " ، شاب وسيم يعيش فى مستهل القرن الواحد والعشرين ، وهو . . . ". وكل ما على القيام به هو أن أفهم حقاً ما أقوم به هنا ، ولماذا أنا هنا وأن أجد طريقى و أتبين ما تبينه لي الضروف، وأن أقاوم لكى أحقق ما أريده أنا وليس ما تريده لى الظروف .

وهكذا فإن مقصدك وغايتك فى الحياة هو من صنع يدك . رسالتك فى الحياة هى الرسالة التى تختارها لنفسك ، وسوف تكون حياتك ما تصنعه منها ، ولن يحل أى أحد محلك فيها ، لا الآن ولا فى أى وقت آخر .

عليك أن تملأ اللوح الخاص بحياتك بما تريده أياً كان ، فإذا كنت قد ملأته بأمتعة من الماضى تخصل منها وامحها تماماً . امح كل شىء فى ماضيك لا يخدمك ، وكن ممتناً لأنه أوصلك لهذا المكان الآن ، وإلى بداية جديدة ،لديك صفحة جديدة ، وتستطيع أن تبدأ من جديد . من هنا تحديداً ، ومن هذه اللحظة . أوجد بهجتك وعشها !

جاك كانفيلد

اقتضى الأمر منى الكثير من السنوات لأصل إلى هذه النقطة ؛ ذلك لأنني نشأت على فكرة أن هناك شيئاً ما يفترض بى القيام به ، وإذا لم أكن أقوم به ، فإن المجتمع لن يكون راضياً عنى .

حين فهمت حقاً أن هدفى الأساسى كان هو الشعور بالبهجة والعيش فيها، بدأت عندئذ أقوم بتلك الأمور فقط التى تجلب لي البهجة . ولدى مقولة أعتز بها وهى : "إذا لم ينطو الأمر على متعة وبهجة فلا تقم به ! ".

نيل دونالد وولش

البهجة ، الحب ، الحرية ، السعادة ، الضحك . ذلك هو كل ما يتطلبه الأمر . وإذا ما شعرت بالبهجة فى مجرد الجلوس والتأمل لمدة ساعة فهلم وقم به. إذا ما وجدت البهجة فى تناول شطيرة لحم مدخن ، فلتقم بذلك!

جاك كانفيلد

عندما أداعب قطتى الأليفة أكون فى حالة بهجة . عندما أمشى وسط الطبيعة فإننى أكون فى حالة بهجة ، وهكذا فإننى أريد باستمرار أن أضع نفسى فى تلك الحالة ، وحين أفعل ، عندئذ يكون كل ما علىّ أن أفعله هو أن أنتوى الحصول على ما أريد ، وبالتالى سوف يتجسد ما أريده ويتحقق .

قم بالأشياء التى تحب والتى تجلب لك البهجة . إذا لم تكن تعرف ما يجلب لك البهجة فلتسأل نفسك " أين تكمن بهجتى ؟ " وعندما تجدها التزم بها ، بالبهجة ، ولسوف يصب قانون الجذب عليك سيولاً من كل ما يجلب البهجة ، سواء من أشخاص ، أو ظروف ، أو أحداث أو فرص ، فى حياتك ، كل ذلك لأنك تشع بالبهجة .

د. جون هاجلين

وهكذا فإن السعادة الداخلية هى فعلاً وقود النجاح.

كن سعيداً *الآن* . اشعر بطيب الحال الآن . ذلك هو الشىء الوحيد الذى يتعين عليك القيام به . ولو كان ذلك هو الشىء الوحيد الذى استفدته من قراءة هذا الكتاب ، فإنك قد تلقيت إذن الجزء الأعظم شأناً من السر.

د. جون جراى

أى شىء يحمل لك شعوراً طيباً سوف يأتيك على الدوام المزيد منه.

إنك تقرأ هذا الكتاب الآن . إنك أنت الذى جذبت هذا إلى حياتك ، وإنه خيارك أن تتناوله وأن تنتفع به ، وأن تشعر شعوراً طيباً . وإذا لم يكن يحمل لك شعوراً طيباً فتخل عنه إذن . أوجد شيئاً ما يحمل لك هذا ، شيئاً يمس قلبك .

لقد مُنِحَت لك معرفة " السر " ، وما تفعله انطلاقاً منها شىء يرجع لك جملةً وتفصيلاً، فأياً كان ما تختار لنفسك فهو صواب . سواء اخترت أن تستخدمه ، أو سواء اخترت ألا تستخدمه . لديك حرية الاختيار.

" اتبع صوت المباركة والنعمة وسوف تفتح أبواب الكون أمامك ؛حيث لم تكن توجد إلا الجدران " .

" جوزيف كامبل "

ليزا نيكولس

حين تتبع صوت البركة والنعمة وتعيش فى مساحة دائمة من البهجة ، فإنك تتقبل ثراء الكون . سوف تكون متحمساً لتتقاسم حياتك مع هؤلاء الذين تحب ، وسوف تسرى عدوى حماسك وفرحك وشغفك ومباركتك منك إليهم .

د. جو فيتال

ذلك ما أقوم به طيلة الوقت تقريباً - استثمار حماستى ، وشغفى ، وفرحى - أنا أفعل هذا على مدار يومى .

بوب بروكتور

استمتع بالحياة ؛ لأن الحياة مدهشة ! إنها رحلة عظيمة ورائعة !

مارى دياموند

سوف تعيش واقعاً مغايراً ، وحياة مختلفة . وسوف ينظر الناس نحوك ويقولون لك " ما الذى يختلف فيما تفعله عما نفعله ؟ " حسناً ، الشىء الوحيد المختلف هو أنك تعمل بمقتضى " السر " .

موريس جودمان

وعندئذ تستطيع أن تفعل ، وأن تملك أموراً وأشياء قال الناس عنها ذات مرة إنها مستحيلة بالنسبة لك .

د. فريد آلان وولف

إننا نتحرك الآن نحو حقبة جديدة. حقبة لن يكون فيها الأفق النهائى أمامنا هو الفضاء، وفقاً لفيلم "Star Trek"، ولكن سيكون هو العقل.

د. جون هاجلين

إننى أرى مستقبلاً من إمكانيات واحتمالات لا تعد ولا تحصى، وتذكر أننا نستغل، على أقصى تقدير، ٥% من إمكانيات العقل الإنسانى، إن نسبة ١٠٠% من الإمكانات البشرية هى نتاج التعليم الملائم، وعلى هذا فلتتخيل عالماً يستغل فيه ناسه جميع إمكاناتهم العقلية والعاطفية. نستطيع أن نذهب إلى أى مكان. نستطيع أن نقوم بأى شىء، وأن نحقق أى شىء.

إن عصرنا هذا على كوكبنا المجيد لهو أكثر الأزمنة إثارة فى التاريخ. سوف نرى ونعايش المستحيل يصير ممكناً فى كل المجالات الإنسانية وفى كل شأن وموضوع، وعندما نتخلى عن جميع الأفكار الخاصة بالحدود القاهرة، وعندما نعرف أننا بلا حدود، سنعايش العظمة التى بلا حدود للقدرة الإنسانية، وستجدها متجسدة فى كل المجالات؛ فى الرياضة، والصحة، والفن، والتكنولوجيا، والعلوم، وكل مجال آخر فى مجالات الإبداع والابتكار.

اعتز بروعتك وبهائك

بوب بروكتور

تخيل نفسك مع الخير الذى تستحقه. كل الكتب الدينية تنبئنا بذلك، وكذلك يخبرنا كل كتاب فلسفى عظيم، وكل قائد عظيم، وكل الرجال الصالحين الذين عاشوا على وجه الأرض. عد إلى التاريخ

وادرس حياة الحكماء . لقد تم تقديم العديد منهم لك فى هذا الكتاب . لقد أدركوا جميعاً شيئاً واحداً ، لقد أدركوا "السر" ، والآن أنت أدركته ، وكلما استعنت به ، زاد إدراكك له .

" السر " بداخلك ، وكلما استخدمت المقدرة التى بداخلك ، زاد ما يمكنك أن تستقيه منها ،وسوف تصل إلى نقطة لن تكون بحاجة إلى ممارستها بعد ذلك ؛ لأنك ستكون مثالاً للقدرة ، ستكون كائناً مثالياً ، ستجسد الحكمة ، ستكون مثالاً للذكاء ، والحب ، والبهجة .

ليزا نيكولس

لقد وصلت إلى هذا الموضع فى حياتك ، ببساطة لأن شيئاً ما ظل يقول لك "إنك تستحق أن تكون سعيداً" . لقد ولدت لكى تضيف شيئاً ما؛ لكى تضيف قيمة إلى هذا العالم ؛ لكى تكون ببساطة شيئاً ما، أكبر حجماً وأفضل شأناً مما كنت عليه بالأمس .

كل شىء قد مررت به ، كل لحظة عشتها ، كانت جميعها لتهيئتك لهذه اللحظة المناسبة . تخيل ما تستطيع القيام به من هذا اليوم فصاعداً بما تعرفه الآن . لقد توصلت الآن إلى أنك صانع مصيرك . فإذن إلى أى مدى تود إضافة المزيد ؟ إلى أى مدى تود أن تصل وتكون ؟ كم عدد الأشخاص تود أن تباركهم وتثنى عليهم ، بمجرد وجودهم فى حياتك ؟ ما الذى ستفعله هذه اللحظة ؟ كيف ستستغل اللحظة ؟ ما من شخص آخر يستطيع أن يحمل مشعلك ، أو ينشد نشيدك ، أو يكتب قصتك ، فإن تحديد ماهيتك ، وما تفعله يبدأ فى التو واللحظة !

مايكل بيرنارد بيكويث

عليك أن تؤمن بأنك إنسان عظيم ، وبأن ثمة شيئاً رائعاً فيك ، وبصرف النظر عما قد حدث فى حياتك ، وبصرف النظر عما ترى نفسك فيه من شباب أو تقدم فى العمر . ففى اللحظة التى تبدأ فيها بالتفكير "بشكل مناسب "فسوف يبدأ ذلك الشيء الذى بداخلك فى البزوغ والظهور، تلك المقدرة التى بداخلك والتى هى أعظم من العالم، ستطغى على حياتك . وسوف تغذيك وسوف تلفك فى نسيجها، سوف ترشدك ، وتحميك ، وتوجهك ، وتدعم وجودك نفسه . إذا سمحت لها بذلك ، وهذا هو ما أعرفه معرفة اليقين .

تدور الأرض فى فلكها الخاص من أجلك أنت ، تتحرك المحيطات بين مد وجذر من أجلك أنت. تزقزق الطيور من أجلك أنت . تشرق الشمس وتغرب من أجلك أنت . تظهر النجوم من أجلك أنت . كل شيء جميل تراه، كل شيء رائع تعيشه ، كله هناك وموجود ، من أجلك أنت. انظر على من حولك قليلاً . لا شيء من هذا لوجوده قيمة بدونك أنت . بصرف النظر عما كنت تظنه عن نفسك ، فإنك تعلم الآن الحقيقة بشأن من تكون حقاً . إنك سيد الكون . إنك ولى العهد ووريث عرش المملكة . إنك الحياة فى شكلها الأسمى ، والآن أنت تعلم " السر " .

لتكن البهجة رفيقتك فى الحياة !

" السر هو الإجابة عن كل ما قد كان على الاطلاق،
وكل ما يكون ، وكل ما سيكون ذات يوم " .

" رالف والدو إيمرسون "

السر في نقاط موجزة

- عليك أن تملأ حياتك بما تريده أياً كان .

- الشيء الوحيد الذى تحتاج إلى القيام به هو أن تحظى بشعور طيب.

- كلما استعنت بالمقدرة التى بداخلك زاد ما تجذبه نحوك من مقدرة.

- حان الوقت الآن لكى تعتز بروعتك وبهائك .

- إننا فى قلب عهد مجيد ، حين نتخلى عن الأفكار القاصرة ، فسوف نعيش العظمة الإنسانية الحقة ، فى كل منحى من مناحى الإبداع والابتكار .

- قم بما تحب ، وإذا لم تكن تعرف ما يجلب لك البهجة ، فلتسأل نفسك : " أين تكمن بهجتى ؟ " والتزم بها ، وسوف تجذب إليك سيولاً من الأشياء المبهجة ؛ لأنك تشع بالبهجة .

- الآن بعد أن تعلمت " السر " ، فإن كل تفعله به يعتمد عليك ؛ فأياً كان ما تختاره فهو صواب . القدرة كلها ملكك أنت .

نبذة عن المشاركين

جون أساراف

صبى شوارع سابق، لكن "جون أساراف" هو الآن مؤلف يحقق أفضل المبيعات عالمياً، ومحاضر، واستشارى أعمال تجارية، ويقوم بمساعدة رجال الأعمال على تحقيق ثروة أضخم حجمًا وعلى أن يعيشوا حياة مترفة. كرس "جون" الخمسة والعشرين عاماً السابقة فى إجراء أبحاث حول العقل الانسانى، وفيزياء الكم، واستراتيجيات إدارة الأعمال؛ لأنها جميعاً ترتبط بتحقيق النجاح فى العمل والحياة، وقد طبق ما تعلمه، فأسس أربع شركات تقدر رؤوس أموالها بالملايين من لا شىء تقريباً، وهو الآن يشارك أفكاره فى ربح المال وتأسيس المشاريع التجارية مع رجال الأعمال ومالكى المشاريع الصغيرة على مستوى العالم. لتعرف المزيد زر الموقع www.johnassaraf.com

مايكل بير نارد بيكويث

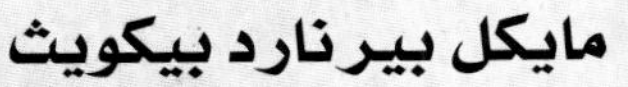

فى عام ١٩٨٦ قام د. "بيكويث"، وهو رجل تقدمى غير منحاز لدين أو عرق أو حزب معين يسعى إلى الإصلاح ، قام بتأسيس مركز أجابى الروحانى العالمى والذى يبلغ عدد أعضائه ١٠٠٠٠ عضو محلى، وله مئات الآلاف من الفروع الصديقة

فى جميع أنحاء العالم، وهو يخدم فى مجالس عالمية مع كواكب من المستنيرين الروحيين مثل فخامة "الدالاى لاما" ود. "إيه تى آر يارانت"، مؤسس مدرسة السارفوديا، و "آرون غاندى"، حفيد "موهانداس كيه غاندى". وهو مؤسس مساعد لمؤسسة الفكر العولمى الجديد Global New Thought والتى يجمع مؤتمرها السنوى علماء طبيعيين، وعلماء اقتصاد، وفنانين، وقادة روحيين، للتعاون بهدف توجيه الإنسانية نحو أعلى إمكانياتها.

يقوم د. "بيكويث" بتعليم التأمل والدعاء بشكل علمى، وينظم اعتكافات تأملية ويتحدث فى مؤتمرات ومنتديات . وهو الواضع الاصلى لبرنامج Life Visioning Process، ومؤلف كتب "*Inspirations of The Heart*" و "*40Day Mind Fast Soul Feast*" و"*A Manifesto of Peace*" لمزيد من المعلومات نرجو الاطلاع على الموقع:

www.Agapelive.com

جنيفيف بهرند

(١٨٨١-١٩٦٠)

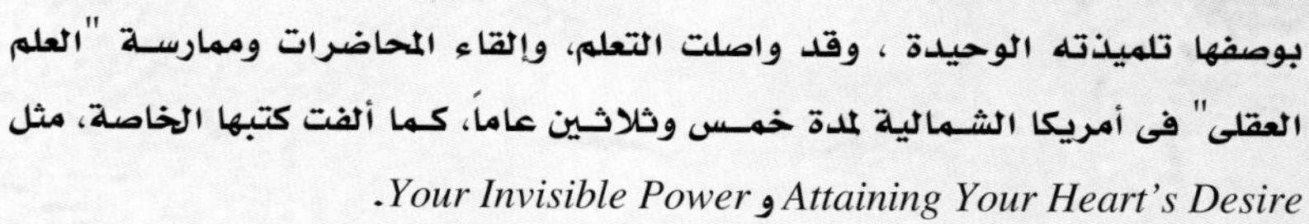

درست "جنيفيف بهرند" مع القاضي العظيم "توماس تراورد"، أحد أوائل معلمى الميتافيزيقا الروحية، ومؤلف كتاب *Mental Science* وقد اختار "توماس تراورد" بهرند بوصفها تلميذته الوحيدة ، وقد واصلت التعلم، وإلقاء المحاضرات وممارسة "العلم العقلى" فى أمريكا الشمالية لمدة خمس وثلاثين عاماً، كما ألفت كتبها الخاصة، مثل *Attaining Your Heart's Desire* و *Your Invisible Power*.

لى براور

"لى براور" هو المؤسس والمدير التنفيذى لشركة Empowered Wealth وهى شركة استشارات دولية تقدم للمشاريع التجارية والمؤسسات والعائلات والأفراد أنظمة وحلولاً لشحذ نظامها الأساسى، وتجاربها، ومساهمتها، وأصولها المالية. كما أنه مؤسس Quadrant Living Experience, LLC وهى شركة تجارية تعطى تصاريح التدريب لأفراد شبكة عمل دولية تدعى Quadrant Living Advisors وقد شارك "لى" فى تأليف كتاب *Wealth Enhancement & Preservation* وهو مؤلف كتاب *The Brower Quadrant* وله موقعان هما www.leebrower.com و www.quadrantliving.com

جاك كانفيلد

"جاك كانفيلد" مؤلف كتاب "مبادئ النجاح" وقد شارك فى تأليف سلسلة الكتب التى حققت أفضل المبيعات وفقاً لجريدة نيويورك تايمز وهى بعنوان "شوربة الدجاج للروح"، والتى صدر منها حالياً أكثر من ١٠٠ مليون نسخة. وهو خبير أمريكا الرائد فى صنع النجاحات الفائقة لرجال الأعمال، وقادة الشركات، والمدراء، ورجال المبيعات المحترفين، والموظفين، والمتعلمين، وقد ساعد مئات الآلاف من الأفراد على تحقيق أحلامهم. وللمزيد من المعلومات عن "جاك كانفيلد"، زر موقع www.jackcanfield.com

روبرت كولير (١٨٨٥-١٩٥٠)

كان "روبرت كولير" كاتباً أمريكياً حقق نجاحاً هائلاً. وكل كتبه، بما فى ذلك *The Secret of the Ages* و *Riches Within Your Reach* قد استندت إلى أبحاثه المتوسعة حول الميتافيزيقا وعلى إيمانه الشخصى بأن النجاح، والسعادة، والوفرة يمكن للجميع الحصول عليها بسهولة عن جدارة. الاقتباسات المنقولة فى هذا الكتاب مأخوذة عن المجلد السابع من *The Secret of the Ages* بموافقة كريمة من دار نشر "روبرت كولير بابليكاشينز".

د. جون إف. ديمارتينى

معالج بتقويم العمود الفقرى يدوياً حاصل على بكالوريوس فى العلوم. فى بداية مرحلة التعلم. أخبره الأخصائيون بأنه يعانى خللاً فى مهارات التعلم، لكن جون ديمارتينى الآن طبيب، وفيلسوف، ومؤلف، ومحاضر دولى. ولسنوات عديدة كان لديه عيادة علاج بتقويم العمود الفقرى يدوياً ناجحة، واختيرذات مرة كمعالج العام. يعمل د. "ديمارتينى" حالياً كمستشار للأخصائيين الصحيين، ويتحدث ويكتب حول موضوعات العلاج والفلسفة، وقد ساعدت طرائقه فى التحول الشخصى آلاف الأشخاص فى العثور على قدر أعظم من النظام والسعادة فى حياتهم. وموقعه هو www.drdemartini.com

مارى دياموند

تتمتع "مارى" بشهرة عالمية باعتبارها معلمة فن الفونج شوى والذى مارسته على مدى ما يزيد على عشرين عاماً، وقد صقلت ونقحت المعرفة التى اكتسبتها فى عمر مبكر. وقدمت النصح

إلى عدد من مشاهير هوليوود، ومخرجين سينمائيين كبار، ومنتجين، وموسيقيين عظام، ومؤلفين مشهورين، وقد ساعدت الكثير من الشخصيات العامة المعروفة لتحقيق نجاح أكبر فى كل نواحى حياتهم، وقد ابتكرت مارى "دياموند فونج شوى" و "دياموند داوزنج" و "إنر دياموند فنج شوى" من أجل أن تجعل لقانون الجذب بيئة شخصية وفردية. وموقعها هو www.mariediamond.com

مايك دولى

لا يعمل "مايك" فى التدريس أو التحدث حول مهنته، بل يعمل كـ "مغامر حياة" وقد شق طريقه بنجاح فى عالم المؤسسات والشركات الصغيرة، وبعد أن عاش فى أنحاء مختلفة من العالم أثناء عمله بشركة "برايس ووترهاوس"، وأسهم فى تأسيس شركة Totally Unique Thoughts (TUT) فى عام ١٩٨٩ للبيع بالتجزئة والجملة لخط إنتاجها الخاص من الهدايا المبتكرة، و من أساس بسيط راحت شركه (TUT) تنمو إلى سلسلة إقليمية من المتاجر، وقد انضمت إلى كل متجر ضخم فى أمريكا، ووصلت للمستهلكين حول أنحاء العالم عبر مراكز توزيع فى اليابان والسعودية وسويسرا، وبيع أكثر من مليون تى شيرت® "ماركة" توتال يونيك. فى عام ٢٠٠٠ قام بتحويل شركة (TUT) إلى نادى مغامرين فلسفى وملهم على شبكة المعلومات، والذى زاد عدد أعضائه حالياً عن ٦٠ ألف عضو من أكثر من ١٦٩ دولة. وهو مؤلف عدد من الكتب، بما فى ذلك ثلاثة أجزاء من *Notes from the Universe* والبرنامج الصوتى المعروف عالمياً *Infinite Possibilities; The Art of Living Your Dreams*. يمكنك الاطلاع على المزيد حول "مايك" وTUT على موقع www.tut.com

بوب دويل

بوب دويل هو مبتكر وموزع برنامج Wealth Beyond Reason، وهو برنامج دراسى متكامل متعدد الوسائط حول قانون الجذب وتطبيقه العلمى. ركز "بوب" على علم قانون الجذب لكى يساعدكم على تفعيل القانون فى حياتكم بصورة هادفة، ولجذب الثروة والنجاح والعلاقات الرائعة، وأى شىء آخر ترغبونه. للمزيد من المعلومات زوروا موقع: www.wealthbeyondreason.com

هيل دوسكين

مؤلف كتاب *The Sedona Method* الذى حقق أفضل المبيعات فى قائمة النيويورك تايمز ، وقد كرس "هيل دسكين" نفسه لتخليص الناس من المعتقدات المقيدة والقاصرة من أجل مساعدتهم على تحقيق ما يرغبون فيه من صميم أفئدتهم. وكما أن طريقة "سيدونا" التى ابتكرها هى تقنية فريدة وفعالة تبدى لك كيف تتخلص من كل ما هو مؤلم ومقيد من مشاعر ومعتقدات وتوجهات. وقد علم "هيل" كل هذه المبادئ لشركات وأفراد فى العالم كله على مدى الثلاثين عاماً الماضية. وموقعه هو www.sedona.com

موريس جودمان

عرف بلقب "الرجل المعجزة" فقد تصدر "موريس جودمان" عناوين الصحف فى عام ١٩٨١ حين شفى من جروح رهيبة بعد تحطم الطائرة التى كان يستقلها. وقد قيل له عندها إنه لن يعود للسير، ولا التحدث، ولا العيش فى حياة طبيعية مرة

ثانية، ولكن اليوم موريس يسافر فى جمع أنحاء العالم ليلهم آلاف الناس و يدفعهم للأمام بقصته المذهلة. وزوجة "موريس"، "كاتى جودمان"، اشتركت كذلك فى فيلم "السر"، برواية تجربتها الملهمة فى الشفاء الذاتى. ولمعرفة المزيد زوروا: www.themiracleman.org

د. جون جراى

مؤلف كتاب (الرجال من المريخ، النساء من الزهرة)، وهو الكتاب الذى تصدر مبيعات الكتب التى تدور حول العلاقات بين الجنسين خلال العقد الأخير، والذى بيعت منه أكثر من ثلاثين مليون نسخة، وقد ألف ١٤ كتاباً آخر تصدرت قوائم أفضل المبيعات، ويقيم ندوات يشارك فيها آلاف الأشخاص. وتركيزه الأساسى ينصب على مساعدة الرجال والنساء على فهم واحترام وتقدير اختلافاتهم، فى كل من العلاقات الشخصية والمهنية. وكتابه الجديد هو *The Mars and Venus Diet and Exercise Solution*

ولمعرفة المزيد زوروا: www.marsvenus.com

تشارلز هانيل (١٨٦٦-١٩٤٩)

كان "تشارلز هانيل" رجل أعمال أمريكياً ناجحاً ومؤلفاً لعدة كتب، وكلها تحتوى على أفكار "هانيل" الخاصة وأساليبه التى استخدمها لتحقيق العظمة فى حياته هو. وعمله الأكثر شهرة هو *The Master Key System*، والذى يقدم ٢٤ درساً أسبوعياً للوصول للعظمة، وهو يحظى برواج وشعبية اليوم كما كان عندما صدر لأول مرة فى عام ١٩١٢.

د. جون هاجلين

هو عالم من علماء فيزياء الكم المشهورين عالمياً وهو معلم وخبير فى السياسة العامة. ويفسر كتابه *Manual for a Perfect Government* كيف يمكن حل المشكلات المجتمعية والبيئية الكبرى وإحلال السلام العالمى عبر التوفيق بين السياسات وقانون الطبيعة. حصل "جون هاجلين" على جائزة "كيلبى" الرفيعة، والتى ينالها العلماء الذين قدموا إسهامات كبرى للمجتمع. كما أنه كان مرشح حزب القانون الطبيعى لمقعد الرئاسة فى انتخابات ٢٠٠٠. ويعتبر الكثيرون "جون" واحداً من أفضل العلماء الموجودين على الكوكب اليوم. وموقعه الإلكترونى هو www.hagelin.org

بيل هاريس

محاضر محترف، ومعلم، ومالك مشاريع تجارية. بعد دراسته للأبحاث القديمة والحديثة حول طبيعة العقل وتقنيات التحول والتغيير، ابتكر "بيل" الهولوسنيك، وهى تقنية صوتية تساعد على التأمل العميق. وشركته "سنتربوينت ريسيرش انستيتوت"، أتاحت لآلاف الأشخاص فى العالم أن يحظوا بحياة سعيدة خالية من الضغوط. لاكتشاف المزيد، زوروا موقع: www.centerpointe.com

د. بين جونسون

طبيب، وأخصائى معالجة عظام

تدرب فى الأصل على الطب الغربى، لكن د. بين جونسون صار مهتماً بالعلاج بالطاقة بعد التغلب على مرض فتاك باستخدام

الطرق غير المعتادة ، وهو منشغل بصورة أساسية فى برنامج مبادئ الشفاء "هيلنج كودز" Healing Codes وهو نوع من المعالجة اكتشفه د. "أليكس لويد" واليوم يدير كل من د. "جونسون" ود. "أليكس ليود" شركة The Healing Codes Company لهذا النوع من المعالجة، وهى تنشر تعاليم ذلك النوع من العلاج. للمزيد زوروا:

www.healingcodes.com

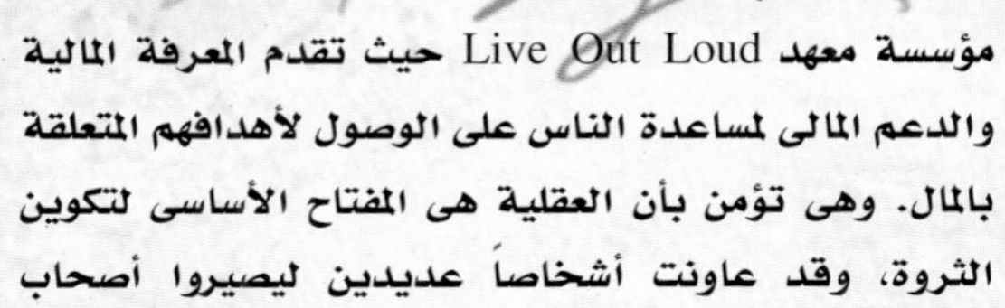

لورال لانجماير

مؤسسة معهد Live Out Loud حيث تقدم المعرفة المالية والدعم المالى لمساعدة الناس على الوصول لأهدافهم المتعلقة بالمال. وهى تؤمن بأن العقلية هى المفتاح الأساسى لتكوين الثروة، وقد عاونت أشخاصاً عديدين ليصيروا أصحاب ملايين. تلقى "لورال" خطبها على الأفراد والشركات؛ لتقدم لهم معرفتها وخبرتها؛ وموقعها الإلكترونى هو www.liveoutloud.com

برنتيس مالفورد (١٨٣٤-١٨٩١)

كان واحداً من أوائل الكتاب والمؤسسين لحركة الفكر الجديد New Thought movement وكان منعزلاً عن الناس خلال معظم حياته، وقد كان له تأثيرعلى عدد لا يحصى من الكتاب والمعلمين بأعماله ، والتى كانت تدور حول القوانين الروحية والعقلية . ومن بين أعماله *Thoughts are Things* و *The White Cross Library* وهى مجموعة من مقالاته .

ليزا نيكولس

تعد "ليزا نيكولس" مناصرة قوية للتطوير الشخصى، كما أنها المؤسسة والمديرة التنفيذية لبرنامجى "تحفيز الناس" و "تحفيز المراهقين" "Motivating the Masses و "Motivating the Teen Spirit - وهما برنامجان وافيان حول المهارات يعملان من أجل إجراء تغيير عميق فى حياة المراهقين، والنساء، والمستثمرين، بالإضافة إلى تقديم الخدمات للنظام التعليمى، وعملاء الشركات، ومنظمات التطوير الشخصى، والبرامج القائمة على الإيمان. وقد شاركت "ليزا" فى تأليف كتاب *Chicken Soup for the African American Soul* وهو من سلسلة الكتب الأفضل مبيعاً فى العالم. وموقعها هو www.lisa-nichols.com

بوب بروكتور

تأتت حكمة "بوب بروكتور" من سلسلة من المعلمين العظام. بدأت هذه السلسلة من "أندرو كارنيجى" الذى نقلها إلى "نابليون هيل" والذى نقلها إلى "إيرل نايتنجل". ونقل "ايرل نايتنجل" شعلة حكمته إلى "بوب بروكتور". عمل "بوب" فى مجال إمكانيات العقل على مدى أكثر من ٤٠ عاماً. ويسافر حول العالم ليعلم الناس "السر"، ويساعد الشركات والأشخاص على صنع حياة زاخرة بالوفرة والثراء عبر قانون الجذب، وهو مؤلف كتاب *You Were Born Rich* الذى حقق أفضل المبيعات عالمياً، وللاطلاع على المزيد، زر موقع www. bobproctor.com

جيمس آرثر راى

باعتباره دارساً لمبادئ الثروة الحقيقية والرخاء على مدى عمره كله، أسس "جيمس" برنامج The Science of Success and Harmonic Wealth® والذى يعلم الناس كيف يتوصلون إلى نتائج باهرة ولا نهائية على كل المستويات: المالية، والعاطفية، والفكرية والجسدية والروحية. إن أنظمته الخاصة بالأداء الشخصى وبرامجه التدريبية للشركات ومساعداته التدريبية منتشرة ويتم استخدامها فى جميع أنحاء العالم، ويقوم بإلقاء خطب منتظمة حول موضوعات الثروة والنجاح والإمكانات البشرية، كما أن "جيمس" خبيرفى العديد من التقاليد الروحانية الشرقية. زر موقعه على: www.jamesray.com

ديفيد شيرمر

يعمل فى تجارة الأسهم بنجاح باهر، وكمستثمر، و يقوم بإلقاء خطب كمدرب استثمارى يدير ورشات عمل، ومنتديات، ودورات تدريبية. وتعلم شركته، تريدنج إيدج، الناس كيف يحققون دخلا غير محدود عن طريق اكتسابهم لعقلية موجهة نحو الثروة. إن تحليل شيرمر لأسواق الأسهم الأسترالية وعبر البحار وأسواق المنتجات يتمتع بصيت طيب نظرا لدقته البالغة. للاطلاع على المزيد زوروا www.tradingedge.com.au

مارسى شيموف

ماجستير إدارة أعمال، مؤلفة مشاركة فى السلسلة باهرة النجاح "شوربة دجاج لحياة المرأة" و"شوربة دجاج لحياة الأمهات" وهى مدربة على التحول تتحدث بشغف وحماس

حول التنمية الشخصية والسعادة الشخصية. و عملها موجه خصوصا نحو تعزيز حياه النساء. كما أنها مؤسس مشارك ورئيس للمجموعة الشرقية Esteem Group وهى شركة تقدم برامج التقدير الذاتى. والبرامج الروحية للنساء. وموقعها هو www. marcishimoff.com

د. جو فيتال

كان مشردا قبل عشرين عاما، وهو الآن يعد واحداً من أفضل متخصصى التسويق فى العالم. وقد كتب عددا من الكتب تتعلق بمبادئ النجاح والوفرة، بما فيها *Life's Missing Instruction Manual, Hypnotic Writing, The Attractor Factor* وكلها حققت أفضل المبيعات ويعد معالجاً بالتنويم المغناطيسى معتمدا، وممارسا للميتافيزيقا، وله مكانة فى الوسط الدينى، ومعالج بالتشى كونج. زر موقع www.mrfire.com

د. دينيس ويتلى

واحد من أكثر المؤلفين الأمريكيين احتراما ويعمل كذلك محاضراً ومستشاراً حول تحقيق أعلى أداء انسانى. تم تعيينه لتدريب رواد فضاء وكالة ناسا، ثم طبق البرنامج نفسه فيما بعد على الأبطال الرياضيين الأولمبيين. وألبومه المسموع *The Psychology of Winning* من البرامج التى تحقق أفضل المبيعات طوال سنوات عديدة الذى يدور حول السيطرة على الذات، وموقعه هو www.waitley.com

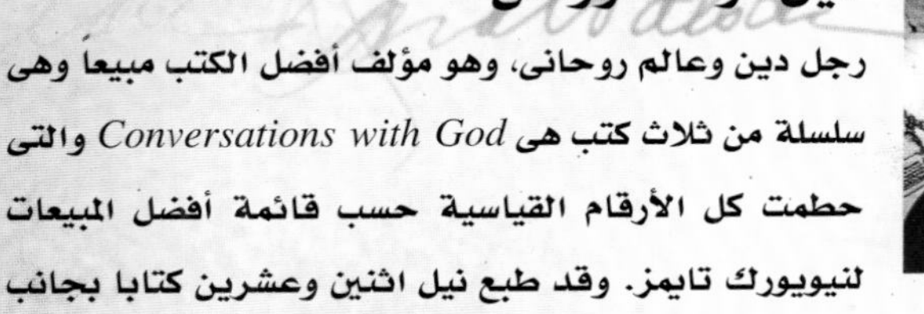

نيل دونالد وولش

رجل دين وعالم روحانى، وهو مؤلف أفضل الكتب مبيعاً وهى سلسلة من ثلاث كتب هى *Conversations with God* والتى حطمت كل الأرقام القياسية حسب قائمة أفضل المبيعات لنيويورك تايمز. وقد طبع نيل اثنين وعشرين كتابا بجانب إصدار برامج مسموعة ومرئية، ويسافر عبر العالم حاملا رسالته الروحانية الجديدة.

يمكن الاتصال به من خلال www.nealedonaldwalsch.com

والاس واتلس (١٨٦٠-١٩١١)

قضى والاس واتلس المولود بأمريكا سنوات عديدة يدرس الأديان والفلسفات المختلفة والمتنوعة قبل ان يبدأ الكتابة عن ممارسة مبادئ "الفكر الجديد". كان لكتب واتلس العديدة أثر بارز على معلمى اليوم للنجاح والوفرة . وأشهر أعماله هو عمله الكلاسيكي حول الرخاء والوفرة *The Science of Getting Rich* طبع عام ١٩١٠.

د.فريد آلان وولف

عالم فيزياء، وكاتب، ومحاضر، وحصل على الدكتوراه في الفيزياء النظرية. وقد درس د. وولف فى جامعات عبر العالم كله، وعمله فى فيزياء الكم والوعى معروف جيدا من خلال كتاباته. وقد ألَّف ١٢ كتابا، بما فى

ذلك *Taking the Quantum Leap* **والذى فاز بالجائزة الوطنية للكتاب. اليوم يواصل د.فريد الكتابة وإلقاء المحاضرات العالم حول فيزياء الكم والوعى. زر موقعه الإلكترونى** www.fredalanwolf.com

ندعو الله أن يساعدك "السر"
على تحقيق الحب والبهجة
فى كل حياتك.

هذه هى أمنيتى
لك وللعالم كله.

لمعايشة المزيد، زر الموقع التالى: www.thesecret.tv